MIZU-HIKI
arrangement
BOOK

手軽につくれる水引アレンジBOOK

かわいいぽち袋・お正月飾り・ご祝儀袋・アクセサリー

長浦ちえ

P.6

P.24

P.8

P.24

P.14

P.25

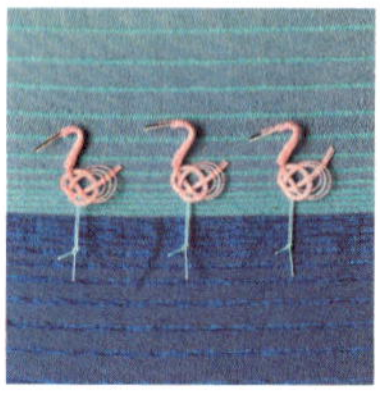
P.16

P.25

P.20

P.30

P.22

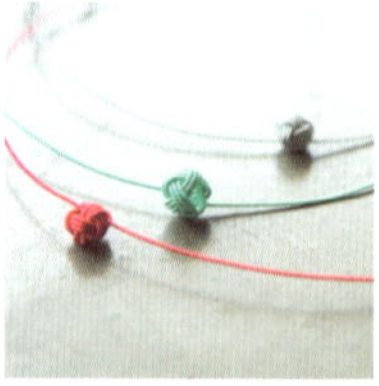
P.32

P.33

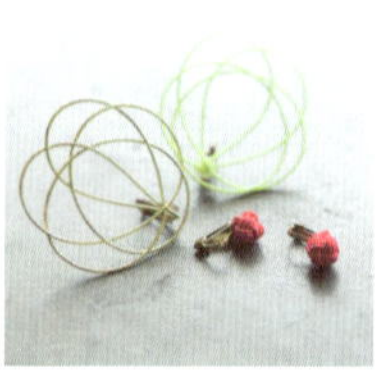

Special thanks

篠田優子（さん・おいけ）
加藤家のみなさん
増田家のみなさん
DADA CAFE
Bouquet du coton
gallery FEMTE

Staff

撮影／枦木 功（nomadica）
装丁・本文デザイン／林 あい
イラスト／佐伯ゆう子（P.27、38～39、63、76～77、93）、
須山奈津希
編集・企画／廣瀬奈津子
印刷・製本／図書印刷

P.34

P.36

P.42

P.44

P.49

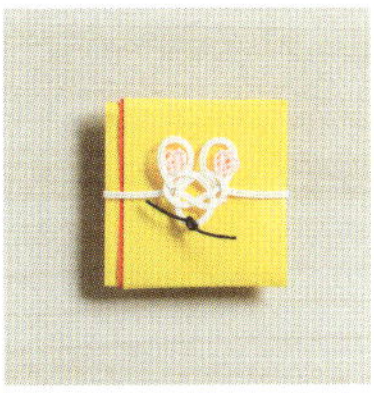

P.50

P.52

P.53

P.54

P.55

P.56

P.57

P.58

P.60

P.61

P.62

P.68

P.69

P.69

P.70

P.72

P.74

P.75

P.80

P.82

P.86

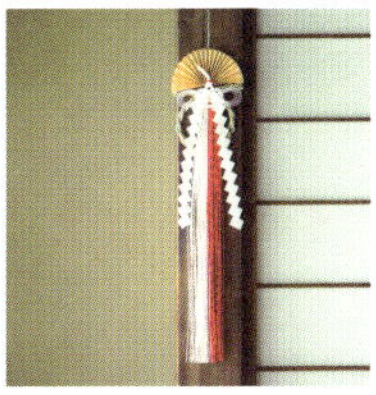

P.90

P.91

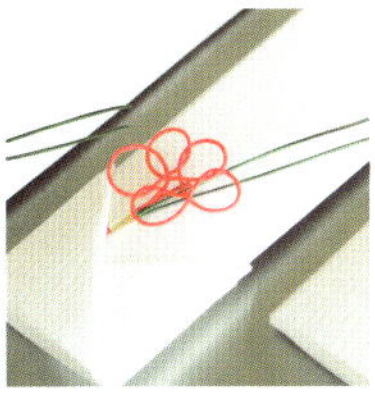

—— はじめに ——

prologue

水引と言うと、結婚式でお祝いのお金を包むご祝儀袋の飾りをイメージされる方が多いのではないでしょうか。昔から水引は儀礼的な場で気持ちを包むものとして、目には見えない相手を敬い、想いながら結ぶものでした。時代は変わり、衣食住において生活様式が多様化した現代であっても、日本人の心には変わらず同じ気持ちが脈々と受け継がれていることに気づかされます。本書では、誰でも簡単につくれる水引アレンジを紹介。今の暮らしに寄りそった水引のあるライフスタイルを提案しています。ハレの日だけでなく、日々の暮らしに水引を——。贈る相手を想いながらLOVE＆PEACEなコミュニケーションツールとして水引を結んでみませんか。

Part 1

水引の基本

水引アレンジの楽しみは、

結びと結びを組み合わせて新しいモチーフをつくることにあります。

コツさえつかめば基本の結びは簡単です。

まずは水引に触れながら、

よく使う基本の結びをマスターしましょう。

日常生活でも役に立つ！

覚えておきたい基本の結び

コレだけは知っておきたい水引の作法

水引の結びには何度でも結びなおせる「蝶結び」と一度結んだらほどけない「結び切り」の二種類があります。蝶結びは、何度あっても良いお祝い事に使われる結び。一方、結び切りは婚礼や葬儀など、二度あってはならないことに使います。本書では、さまざまな結びを組み合わせた水引アレンジを紹介。この基本の作法を覚えておくと、ご祝儀袋やお祝い金などを包むときにも役立ちます。

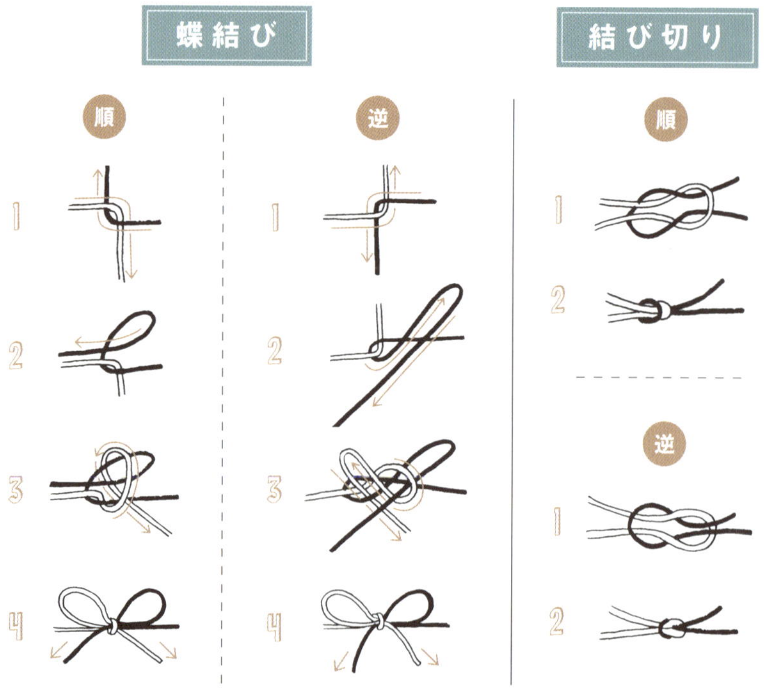

モチーフを上手につくるコツ

つくりはじめる前に“水引をしごく”

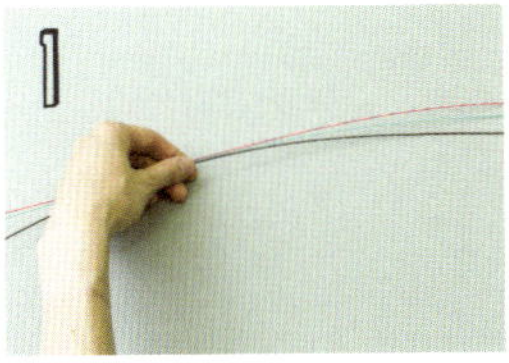

水引をまっすぐなまま使いたい場合は、しごく必要はありません

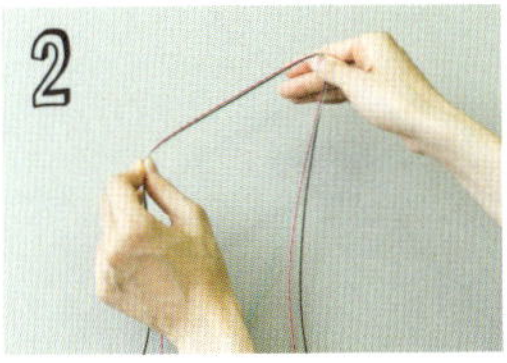

親指の腹で水引をしごく。水引が長い場合は、中央部分を持って左右別々にしごきましょう

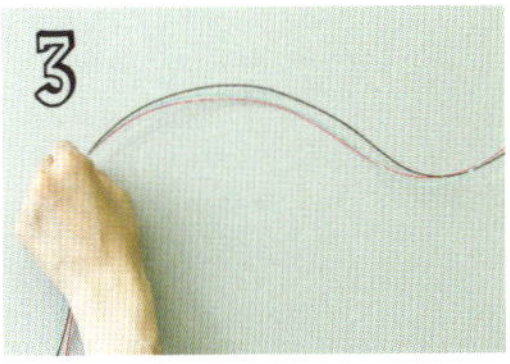

しごくことで水引に自然な丸みが出るので、結びやすくなります

one point advice

水引の本数が多い時は、部分的にしごきながら結ぶときれいに仕上がります

モチーフの大きさを調整する

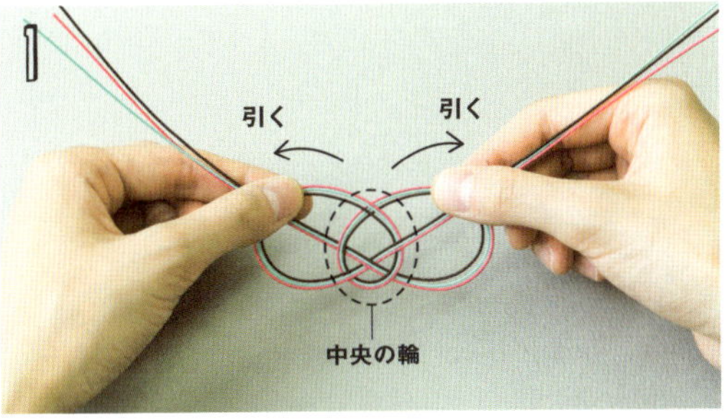

最初に左右の輪を広げ、中央の輪の形を小さく整えましょう

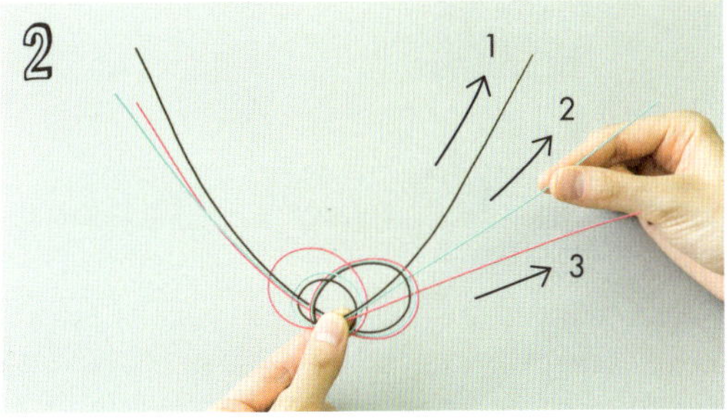

1～3の順に内側から1本ずつ水引を引っ張ると、全体の形を整えることができます

水引の本数が増えたときのコツ

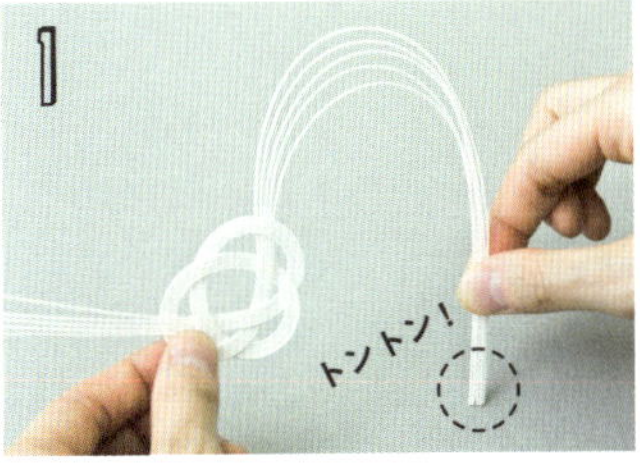

水引の端を揃えながら作業すると結びやすくなります。先端の長さがばらついてきた時は、途中で切って水引の長さを揃えましょう

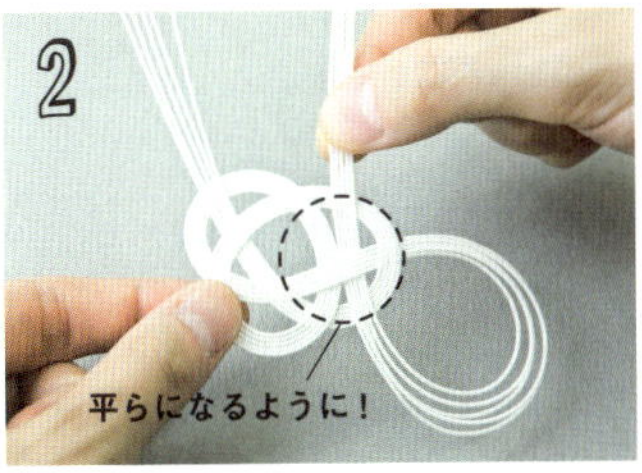

水引の本数が多い場合は、交差する部分の水引が平らになすることを意識しながら、重ならないように結ぶと仕上がりがきれいです

ワイヤーで水引を固定する

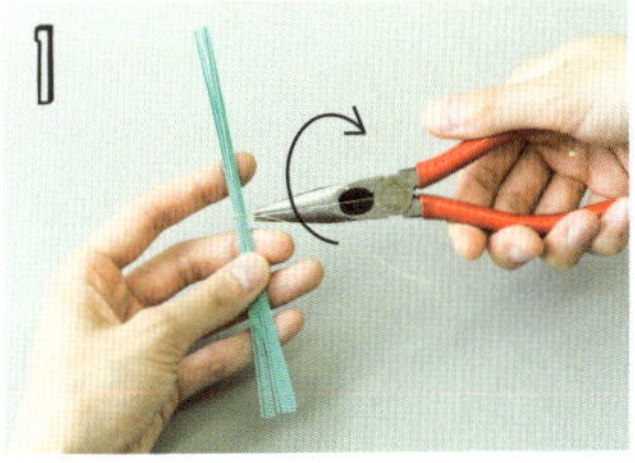

水引との間に隙間ができないよう、ワイヤーを引っ張りながらねじって固定します

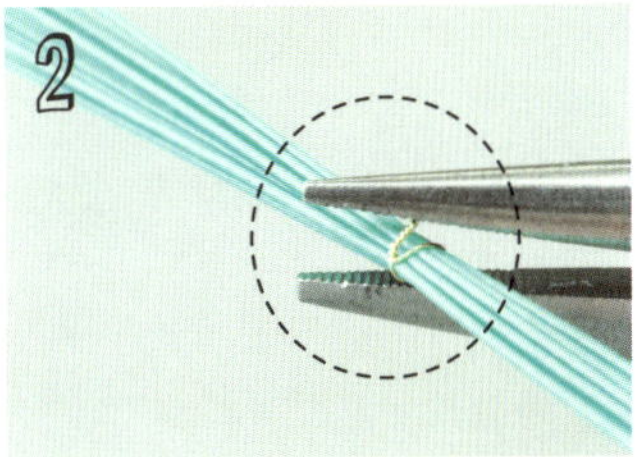

ワイヤーを適当な長さにカットしたら、ワイヤーの先端でケガをすることがないよう、ラジオペンチで折ってつぶしておきましょう

水引アレンジは結びの組み合わせで楽しんで

まずは水引アレンジの基本、「あわじ結び」をマスターしよう

あわじ結びは、長生き・長持ちの象徴であるアワビの形に似ていること、左右に残した水引を引っ張ればよりきつく結ばれることから、縁起の良い結びの一つとされています。このあわじ結びをひと工夫して異なる結びと組み合わせれば、新しいモチーフの出来上がり。自由な発想で楽しんでみましょう。

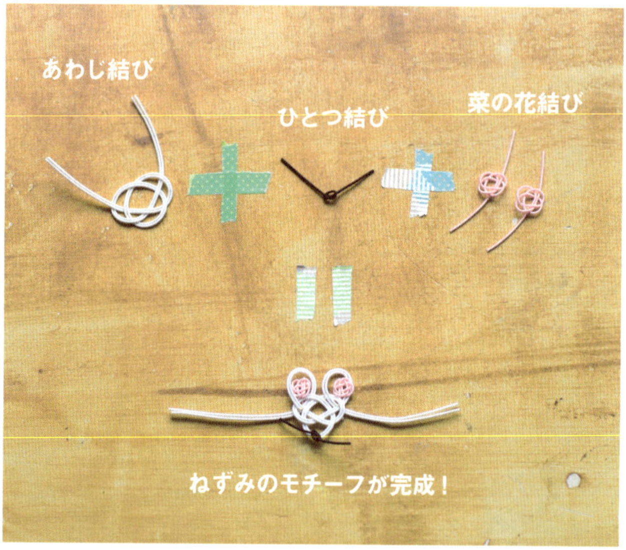

あわじ結び

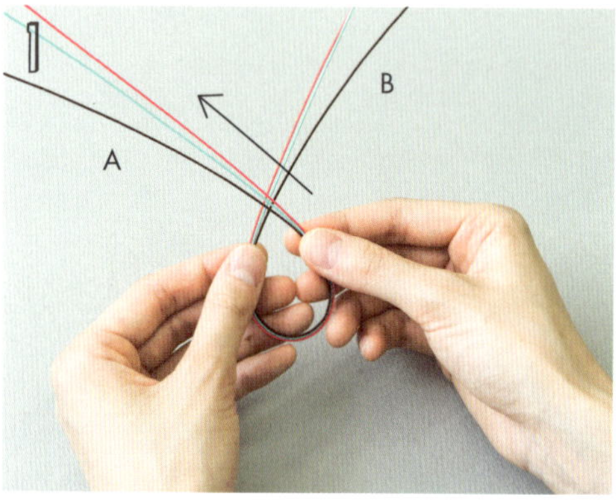

Aが上になるように水引を重ね、しずく形の輪をつくります

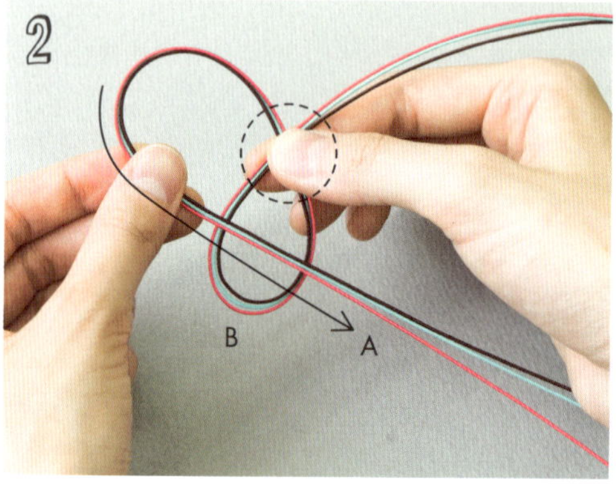

AをBに重ねます。○部分をつまんで固定すると作業しやすくなります

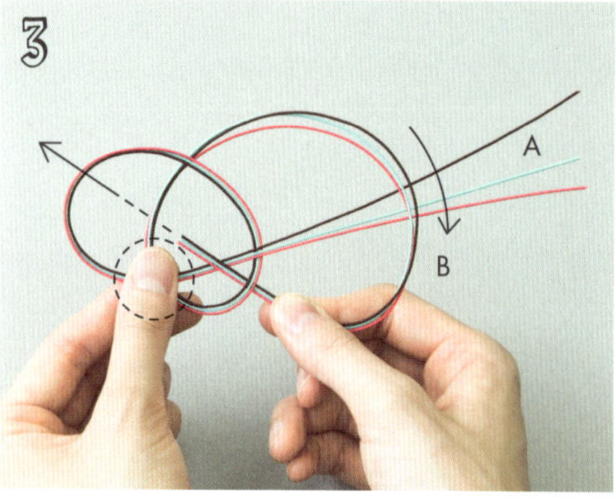

BをAの上→下→上→下→上の順で通します。Bの先端は、内側から順に水引の並びを揃えて通していきます。○部分をつまんで固定すると作業しやすくなります

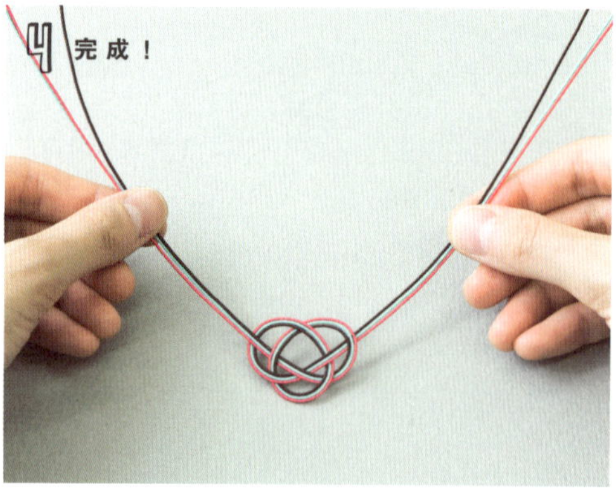

大きさを整えたら完成です

ひとつ結び

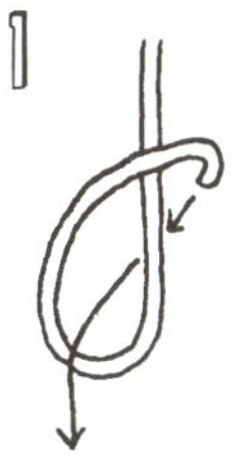

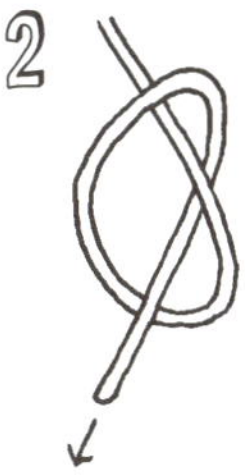

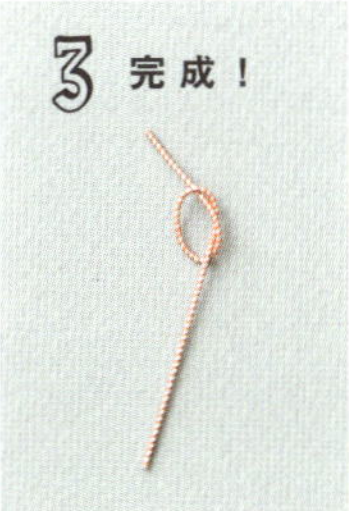

1～2の手順で水引に小さな輪をつくり、形を整えて完成です

one point advice

水引は和紙で紙芯をつくり着色したものやフィルムや飾糸を巻いて加工されたものなど、たくさんの種類があるので、好みの色や素材を選びましょう

菜の花結び

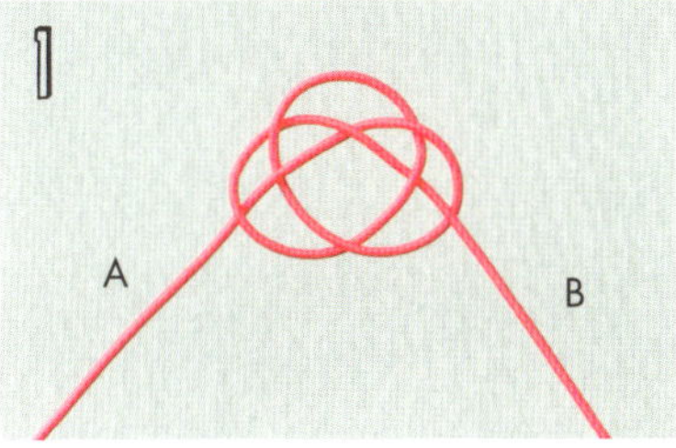

あわじ結びを作ります（P.8 参照）

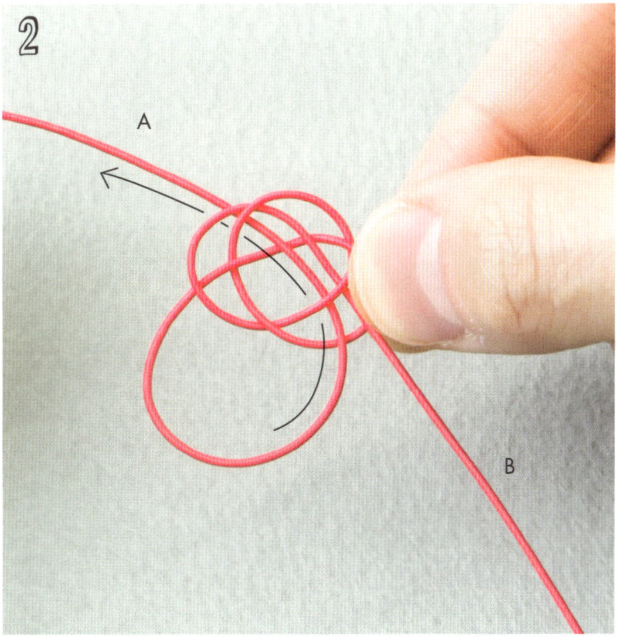

Aを1でつくった「あわじ結び」の内側に沿わせるようにして通します

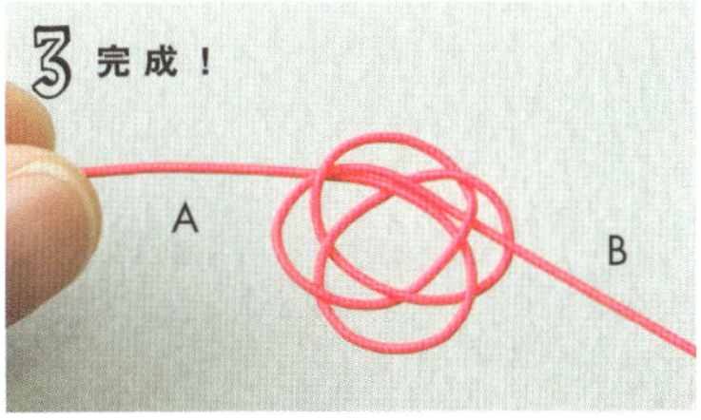

全体のバランスを整えて完成です

2組の水引で結ぶあわじ結び

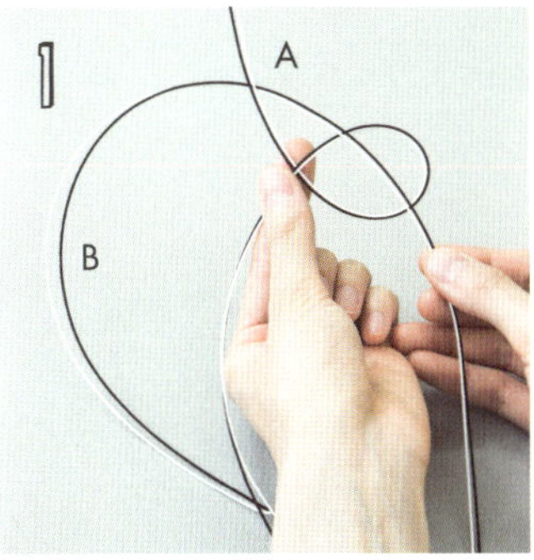

Aの上にBを重ねます

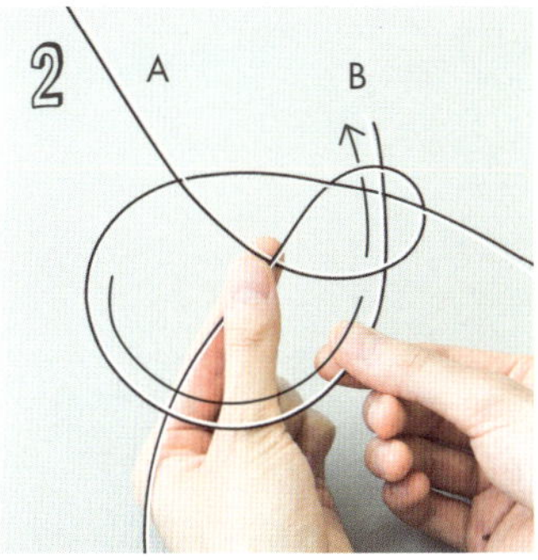

Bを上→下→上→下の順でAに編み込みます

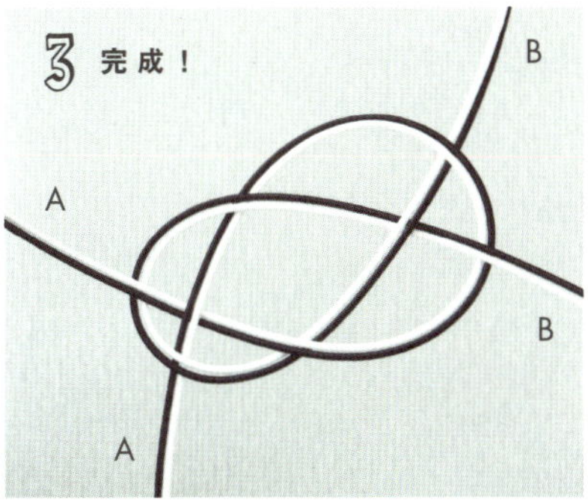

大きさを整えて完成です。異なる色の水引で結ぶのもおすすめです

《ご祝儀袋・ぽち袋を折ってみよう》

自分なりのカラーリングやテクスチャー選びを楽しんで

　使う紙の色やテクスチャーの組み合わせによって、見え方がガラリと変わるのがご祝儀袋やぽち袋の面白いところ。端紙を見せる幅を細くすると繊細なイメージに、大胆に太くすると存在感バツグン。渡す相手をイメージして、色や素材の組み合わせを考えながらつくってみましょう。

ご祝儀袋

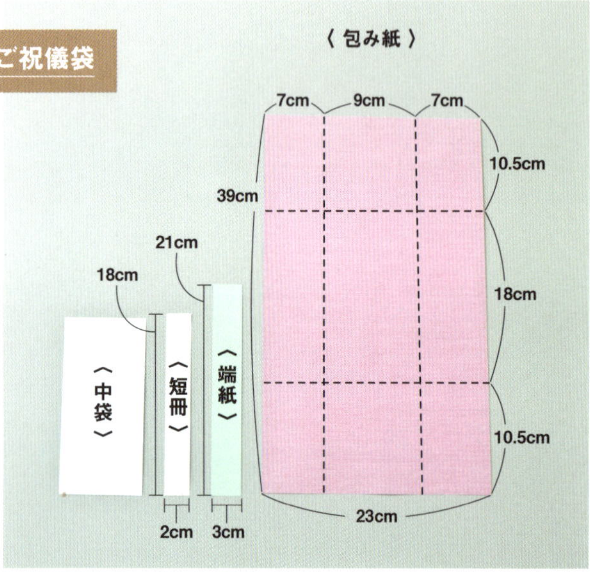

ぽち袋

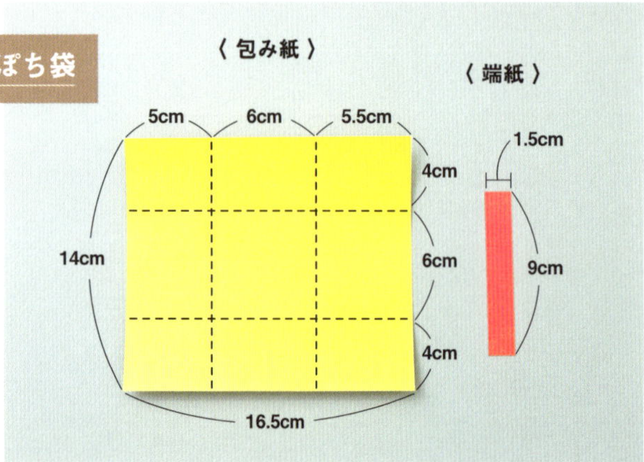

目打ちを使って包み紙に折り線を入れます

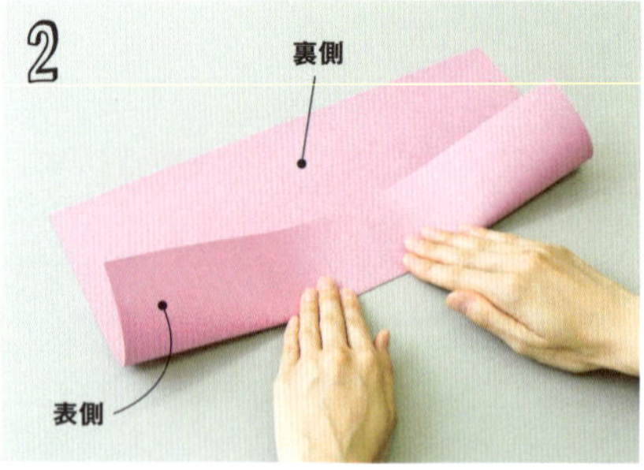

折り線に沿って包み紙を折ります

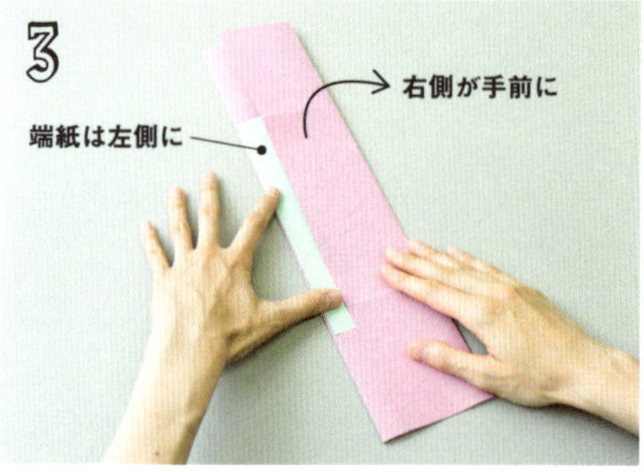

右側が手前に来るように折ります。端紙を挟み、好みの位置で接着します

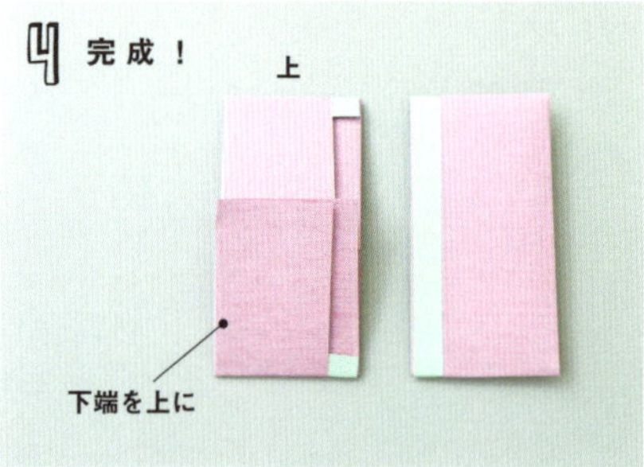

お祝い事の場合は「喜びを受け止める」を表し、下端が上へ向くよう折ります。弔事の場合は「悲しみを受け流す」を表し、上端が下へ向くように折ります

《本書で使う道具》

まずは使い慣れたハサミと定規を用意して。残りの道具は少しずつ揃えていけばOK！

ハサミやラジオペンチなど、100円均一ショップでも今はさまざまな道具が手に入ります。まずは買いやすいものから揃えてみてください。必要に応じて、ゆっくり自分好みの道具を揃えていきましょう。

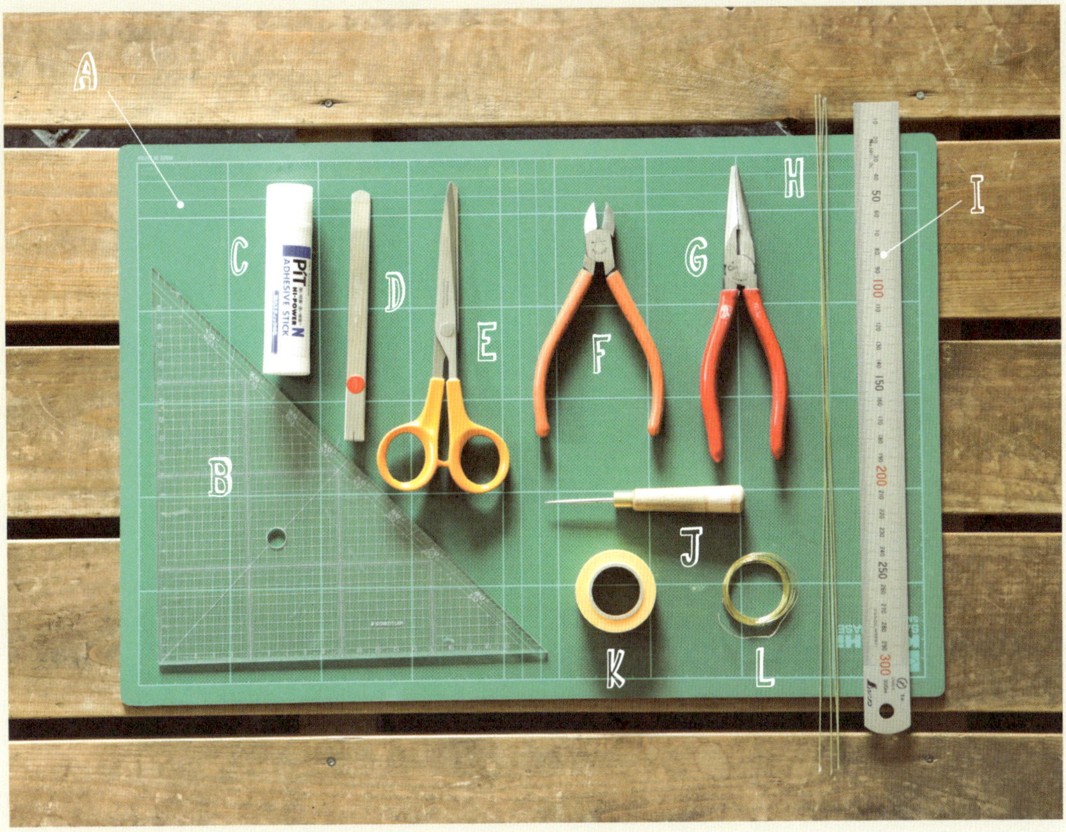

A　カッティングマット
カッターを使った作業をする時、机を傷めないように必ず敷いて。サイズはA4サイズ以上が◎

B　三角定規
直角に切る時・折り線をつける時に活躍。5mm方眼がついていると寸法を測りやすくて便利です

C　のり
紙を貼るときに使います。しわになりにくく、使い勝手の良いスティックのりがおススメです

D　カッター
紙を直線にカットするための必需品です。使う場面が多いので、刃はこまめに交換して

E　ハサミ
水引をキレイにカットするには、クラフト用がベター。最初は使い慣れたものでOKです

F　ニッパー
細かいところでワイヤーをカットする時に便利。切れ味が良いと作業もはかどります

G　ラジオペンチ
ワイヤーを曲げたり引っ張ったりする時に。標準的なサイズで手に馴染むものを選びましょう

H　#24ワイヤー
フラワーデザイン用のワイヤーは太さが様々。太い#24は水引の束などをガッチリ留めたい時に

I　定規
長さを測るのはもちろん、直線にカットする時にも使います。30cm以上を選びましょう

J　目打ち
折り線をつける時や、紙に穴をあける時に使います。紙用が理想ですが裁縫用でも代用できます

K　マスキングテープ
水引がずれないように仮止めをしたり、ボンドで水引を固定する時にあると便利です

L　#30ワイヤー
細いタイプのワイヤー。少ない本数の水引を固定したり細かい作業でしっかり留めたい時に

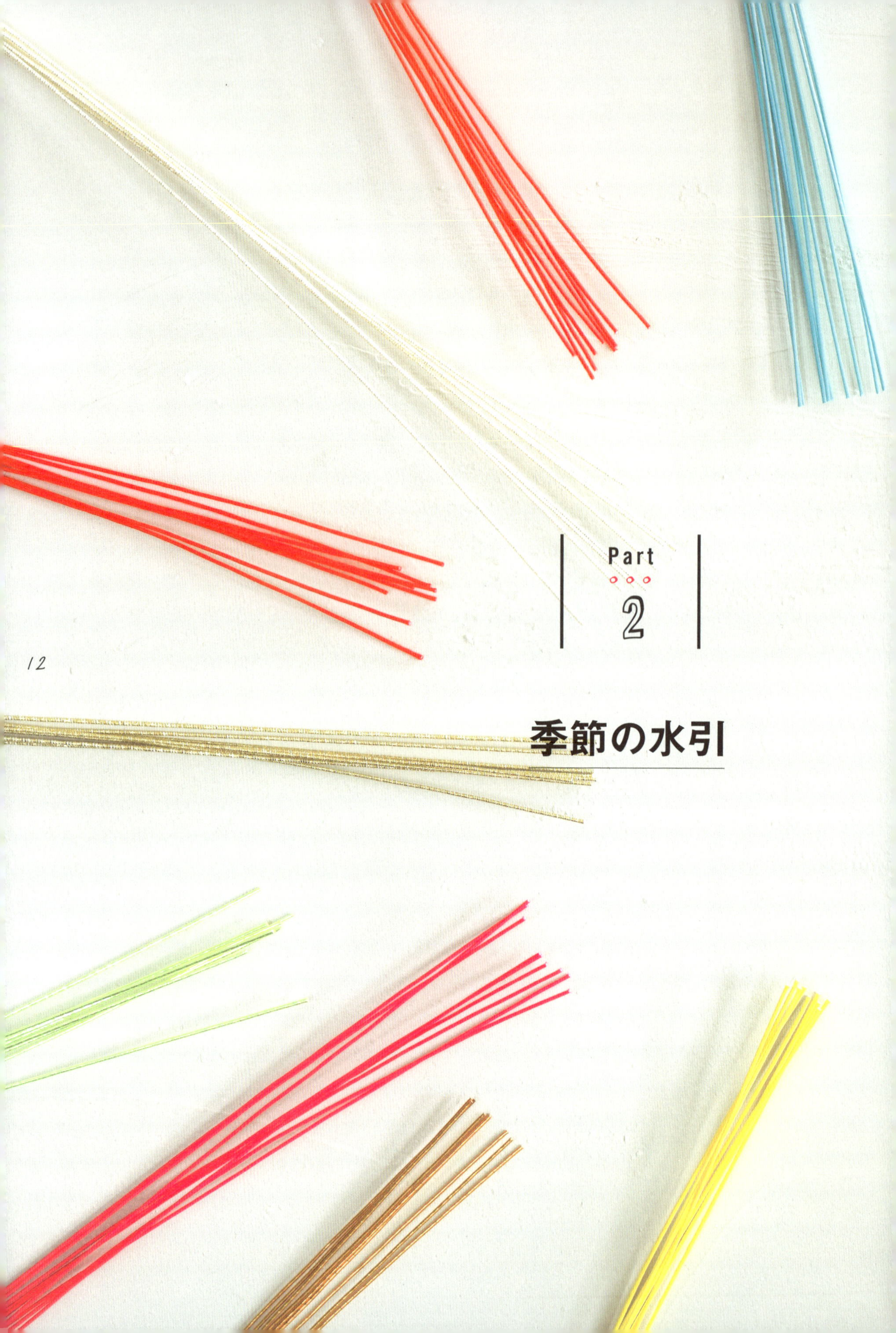

Part

2

季節の水引

日本人の暮らしと深い関わりをもつ春夏秋冬——。

季節の便りや贈り物は、

ちょっとした工夫でよりステキに演出ができます。

四季折々の暮らしを愉しむアイテムを

水引を使ってつくってみませんか？

春らんまん桜の文香

**別れと出会いの季節でもある春は、
何かとご挨拶の多い季節です。
手紙の封を開いた瞬間、ふわっと広がる心地よい香り。
大切な人へ贈る便りに、
桜の文香をしのばせてみませんか**

材料
60cm 水引×１本
#30 ワイヤー
好みの香水や石けんなど

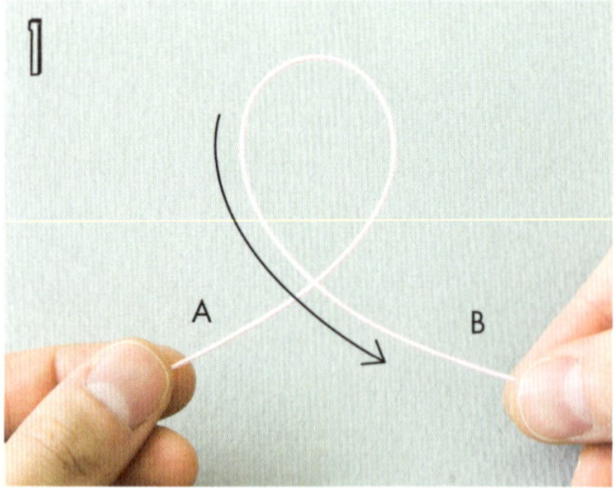

B を A の上に重ねてしずく形の輪を作ります

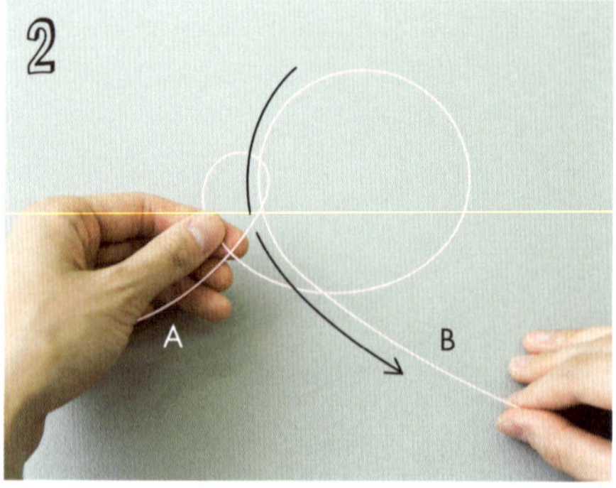

B を 1 でつくったしずく形の輪に、上→下→上の順で通します

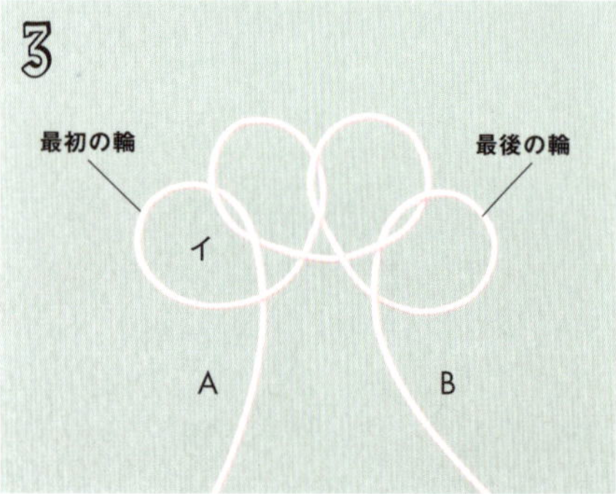

2 の行程を 3 回くり返します

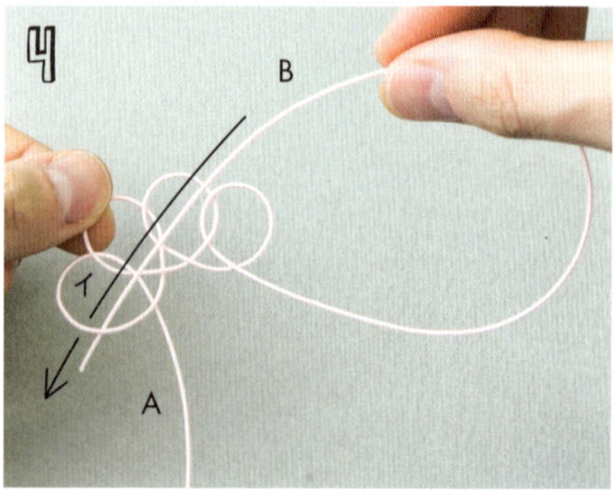

B を最初につくった輪（＝イ）に通します

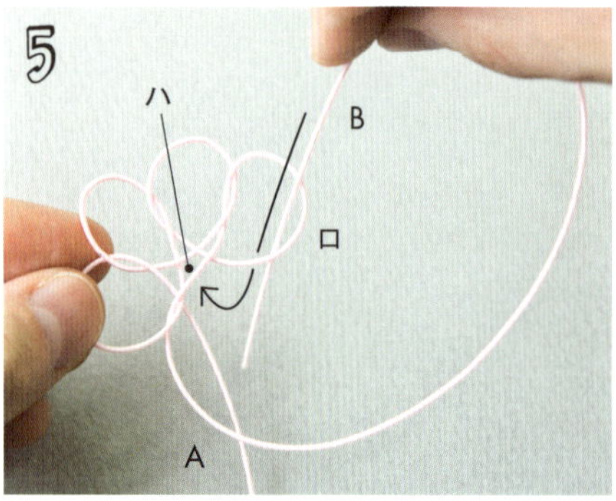

B を最後の輪（＝ロ）に通します

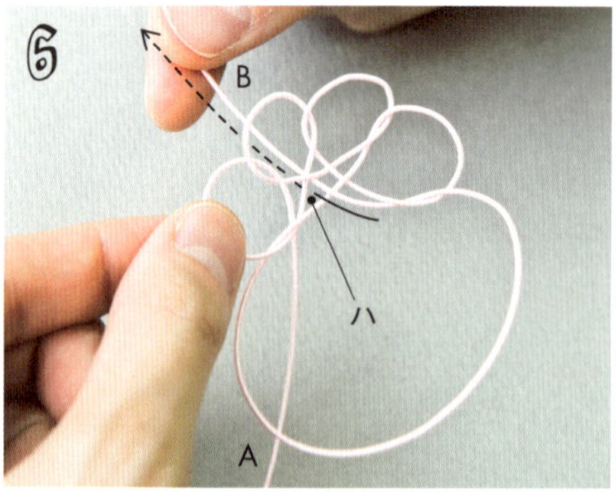

B をハに通して花の形をつくり、5 枚の花弁の形を整えます

花弁の先端をつまんで桜の
花びらの形に整えます

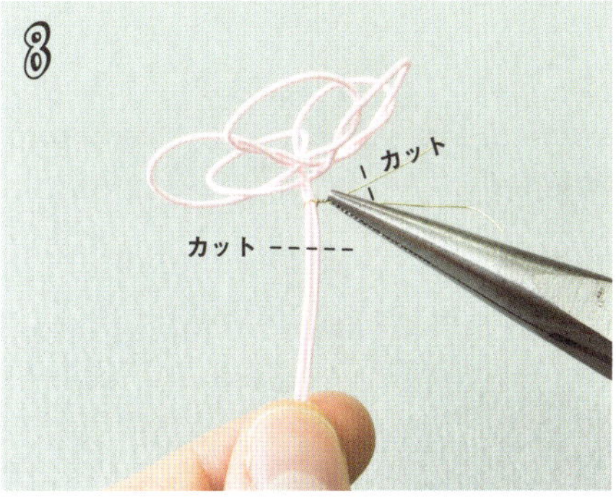

根元の部分を #30 ワイヤーで固定します

全体の形を整えて出来上がりです。好みの香
水や石けんで香りづけをして楽しみましょう

one point advice

エッセンシャルオイルやアロマフレグ
ランス、石けんの箱に入れてほんのり
香りづけするのもステキです

夏フラミンゴのミニオブジェ

ビタミンカラーの夏フラミンゴは、
暑中見舞いのカードに貼り付けるミニオブジェやブローチに。
脚の部分と一緒にワイヤーを取り付けるとピックとしても活躍します。
首の曲げ方で表情も変わるので、たくさん作って並べてみて！

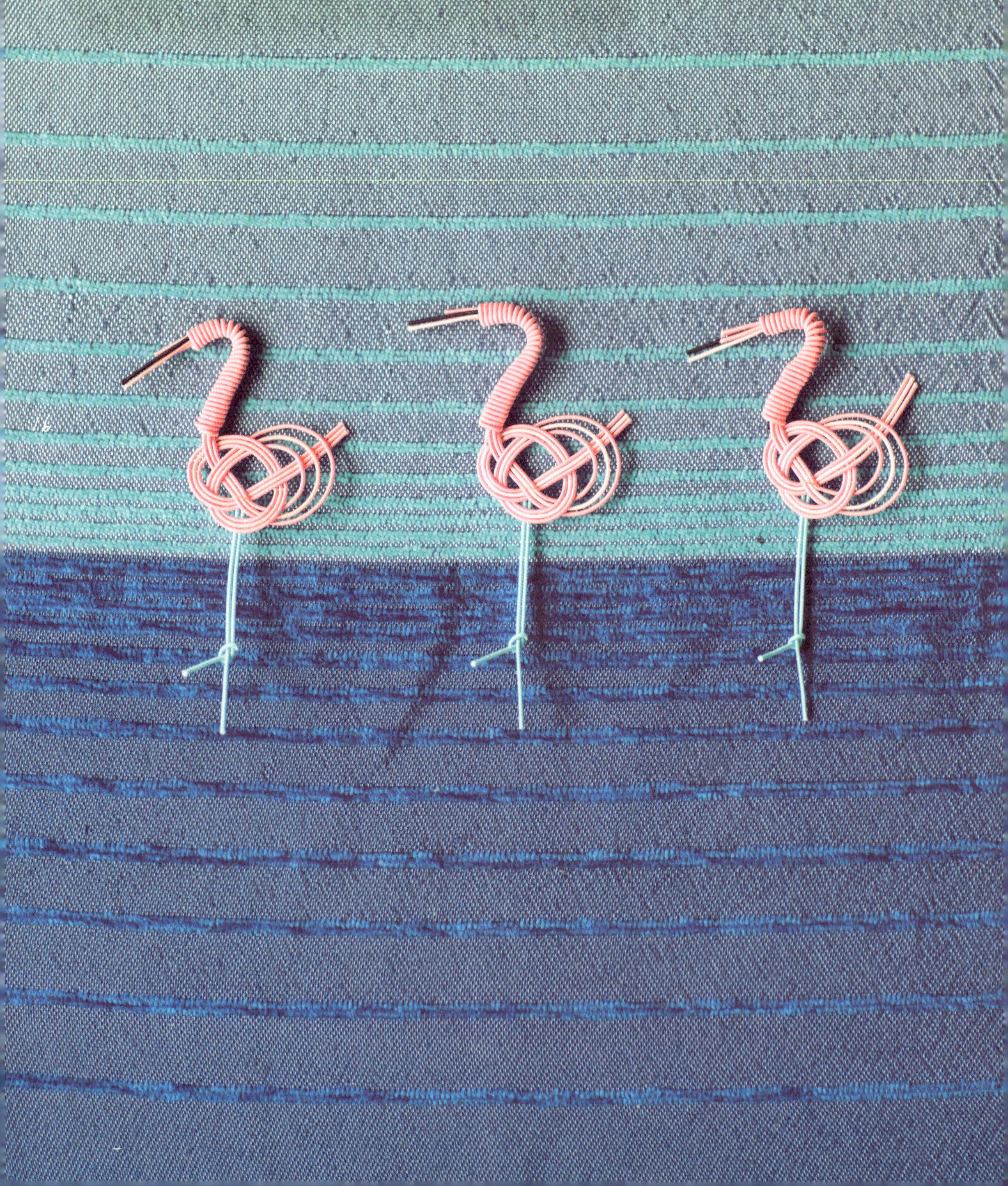

材料　45cm 水引× 3 本（身体用）
60cm 水引× 1 本（首用）
20cm 水引× 1 本（脚用）
10cm 水引× 1 本（くちばし用）
#24 ワイヤー 4cm × 1 本（首用）
#30 ワイヤー

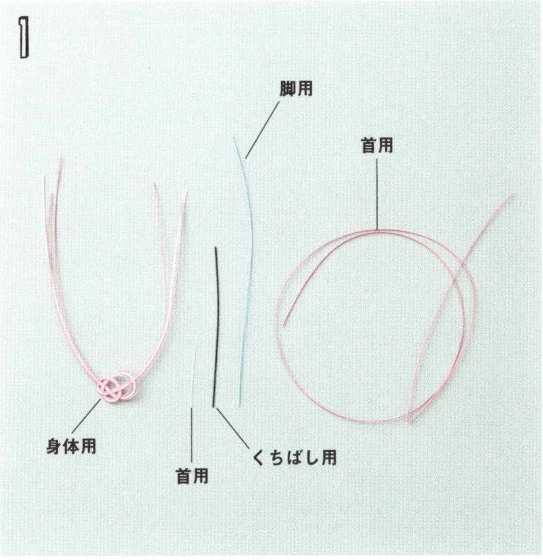

身体用の水引をあわじ結び（P.8 参照）
にし、各パーツを揃えます

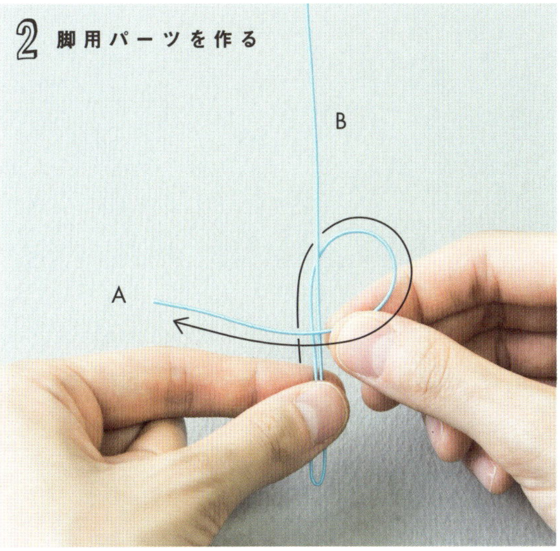

脚用の水引を二つ折りにして、ひとつ結びと
同じようにＡをＢの手前にまわします

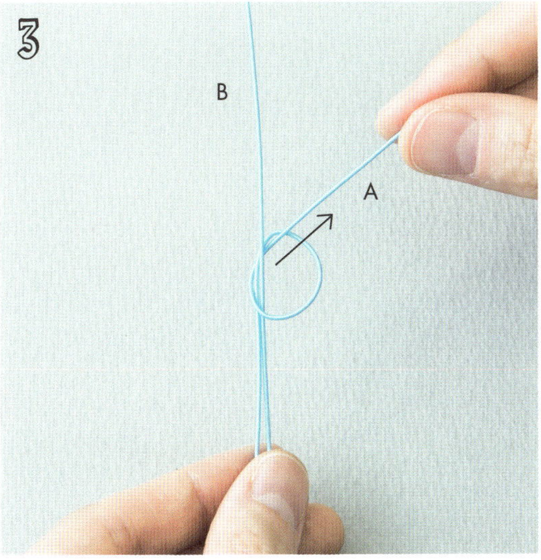

Ａを下から上へ輪に通し、余分な水引を
カット。結び目の場所を変えながら長さ
を調整するときれいに仕上がります

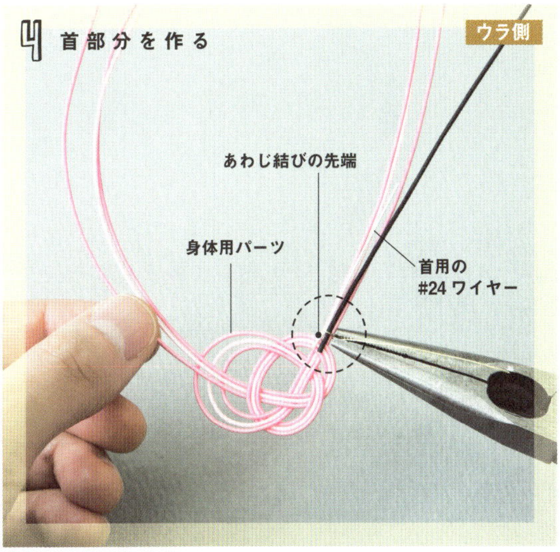

身体用のパーツに裏側からくちばし用のパーツと
#24 ワイヤーを #30 ワイヤーで固定します。身体用
パーツのあわじ結びの先端にかかるくらいの位置で留
めると、首の部分の形を整える際に安定します

C部分の水引は先端部分を曲げて目印を付け、他の水引と区別しておきましょう

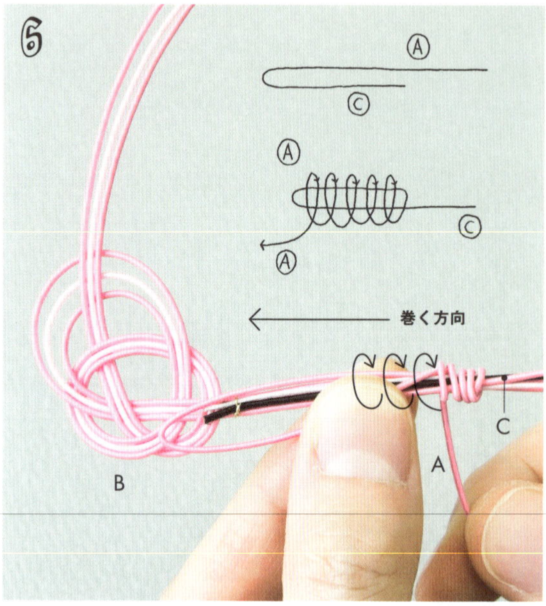

白ワイヤーの先端部分から、時計回しにBの方向に巻きます。きつく巻きすぎず、緩まない程度にしっかり巻くことがポイントです。

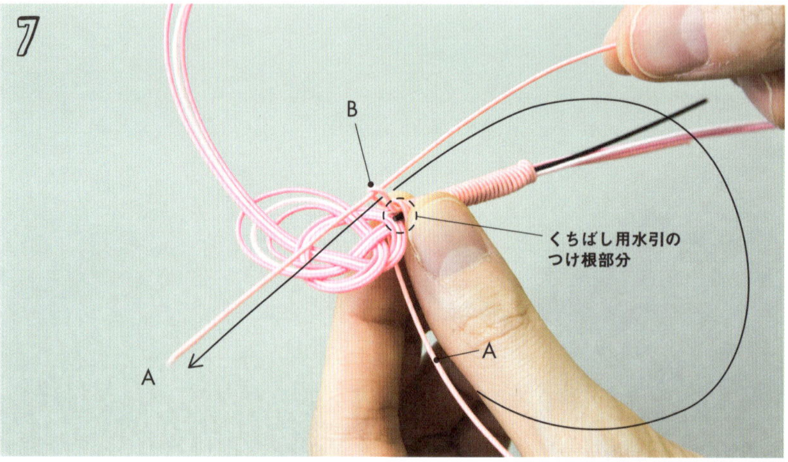

Aをくちばし用水引のつけ根部分まで巻いたら、余りをBの輪に通します

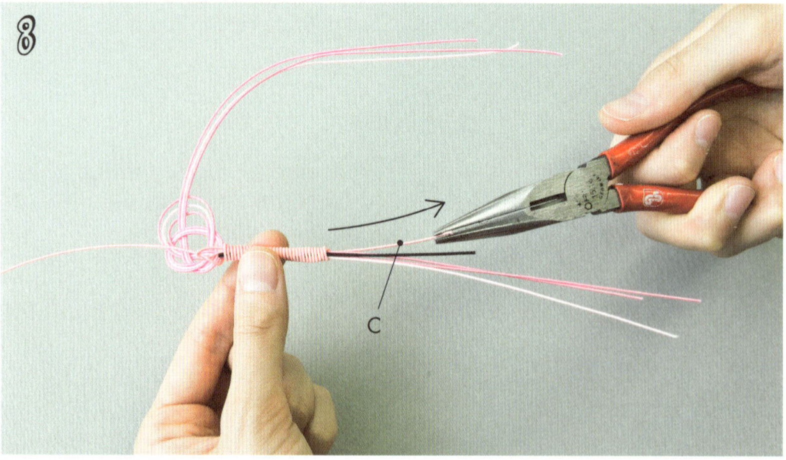

Cを矢印の方向に引っ張ると、Bの輪が小さくなってほどけなくなります

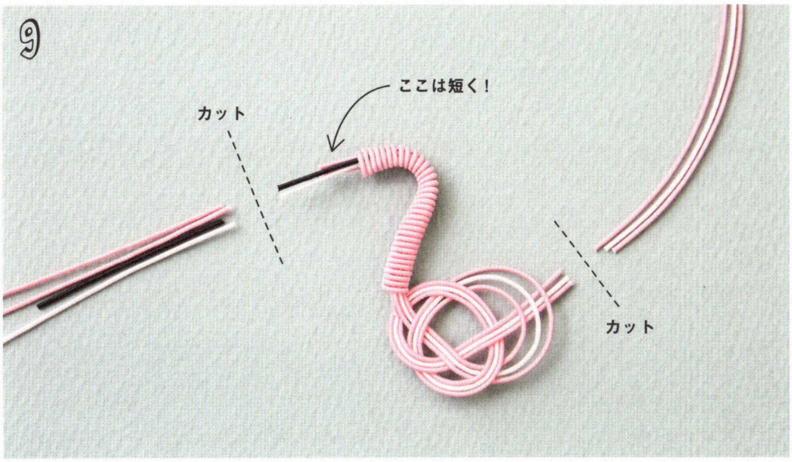

余分な水引をカットし、首を曲げて形を整えます。くちばしの上部を短くカットすると、より鳥らしい表情になります

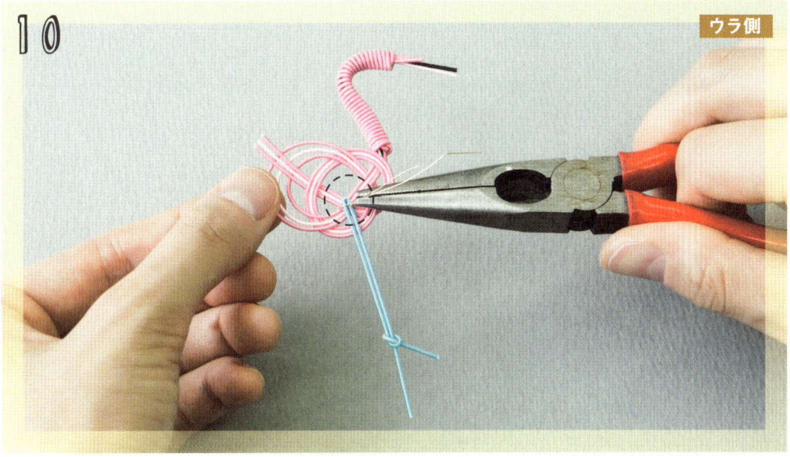

裏側から、2～3（P.17参照）の行程でつくった脚用パーツを #30 ワイヤーで取り付けます

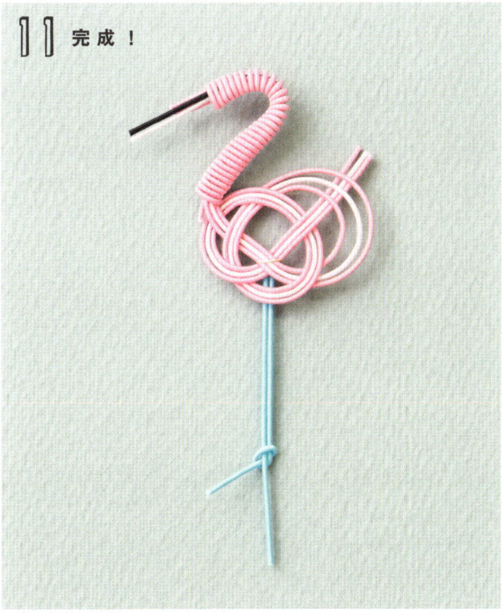

形を整えたら出来上がり。脚の部分を爪楊枝に変えればピックとしても活躍します

one point advice

カードに貼り付けて夏のご挨拶に使うのもおススメです。暑い夏を愉しみましょう！

秋のティーポット型ブックマーク

暖かい紅茶や珈琲は、
秋の夜長の読書タイムに欠かせないアイテム。
読書の合間に愉しむティータイムのおともに、
気品高いティーポット型ブックマークはいかがですか？

材料

45cm 水引× 3 本
（ポット用）
20cm 水引× 1 本
（フタ用）
#30 ワイヤー
好みのひも
好みの紙

one point advice

ひもにリバティ柄などを使うとぐっとアンティーク風に。かわいいショップカードや印刷物をタグに使うと簡単です

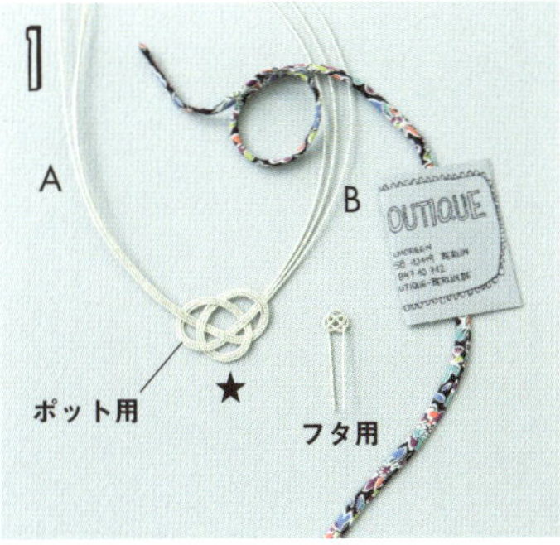

ポット用の水引を 3 本取りのあわじ結び（P.8 参照）、フタ用の水引を 1 本取りの小さいあわじ結びにして準備します

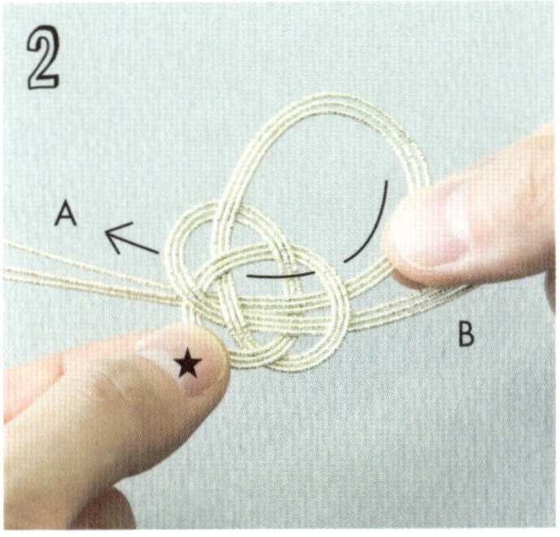

A を下→上→下の順で、最初につくったあわじ結びに沿わせるようにして通します

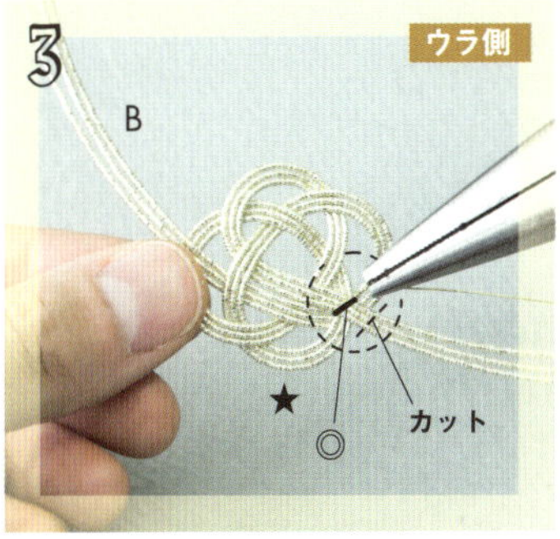

裏側から◎部分を＃ 30 ワイヤーで固定して、余分な水引をカットします

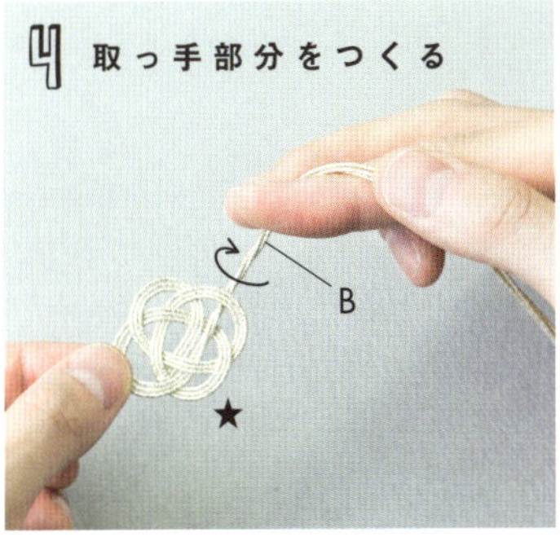

B を矢印の向きにねじります

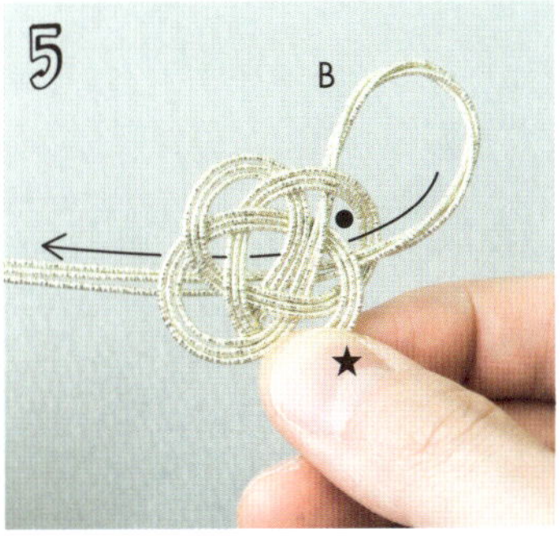

●部分に B を通します

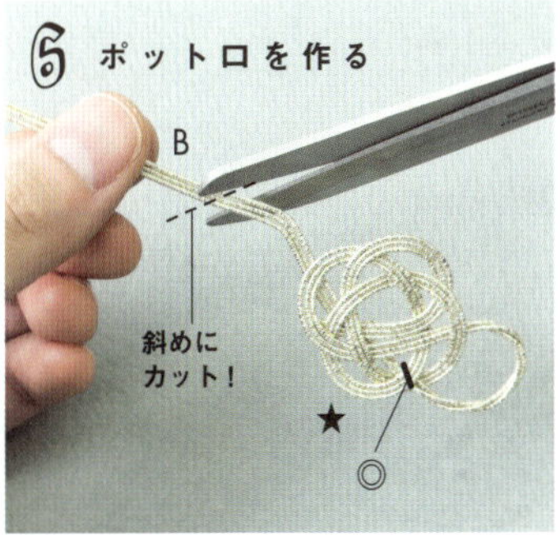

◎部分を裏側からワイヤー留めした後、ポット口となる部分をカットします。斜めにカットすると、よりポット口らしく見えます

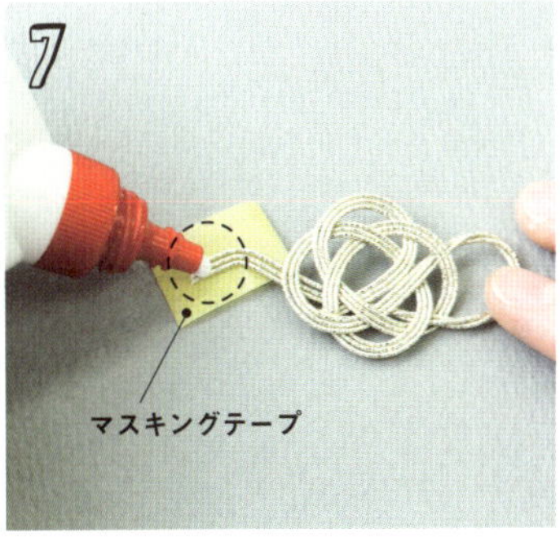

ポット口の部分の水引がバラバラにならないよう、木工用ボンドで固定します。マスキングテープを使うときれいに仕上がります

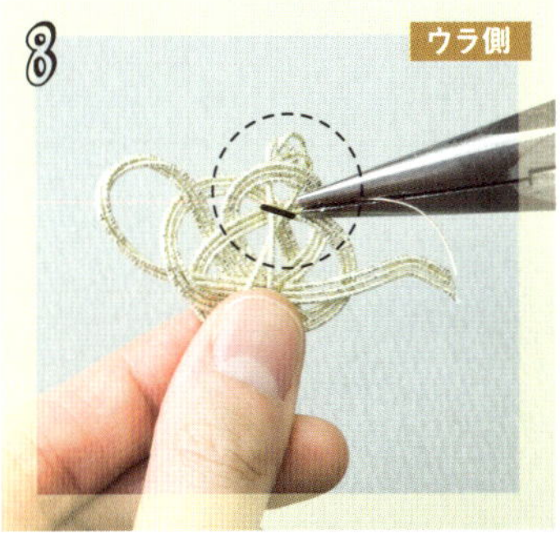

裏側からポットの蓋用パーツをワイヤーで取りつけます

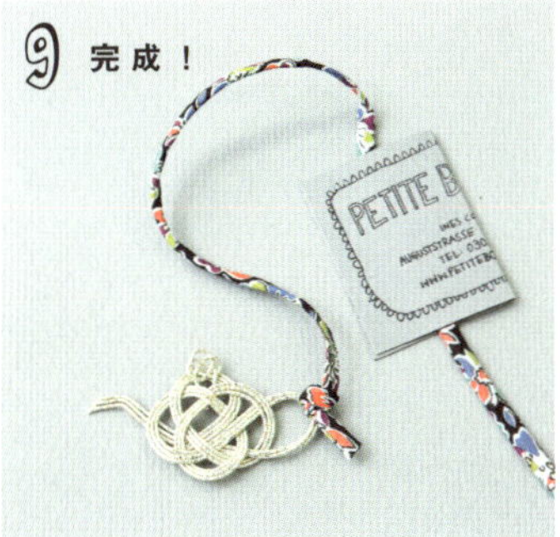

好みのひもやタグを取っ手の部分に結んだら、ブックマークの完成です

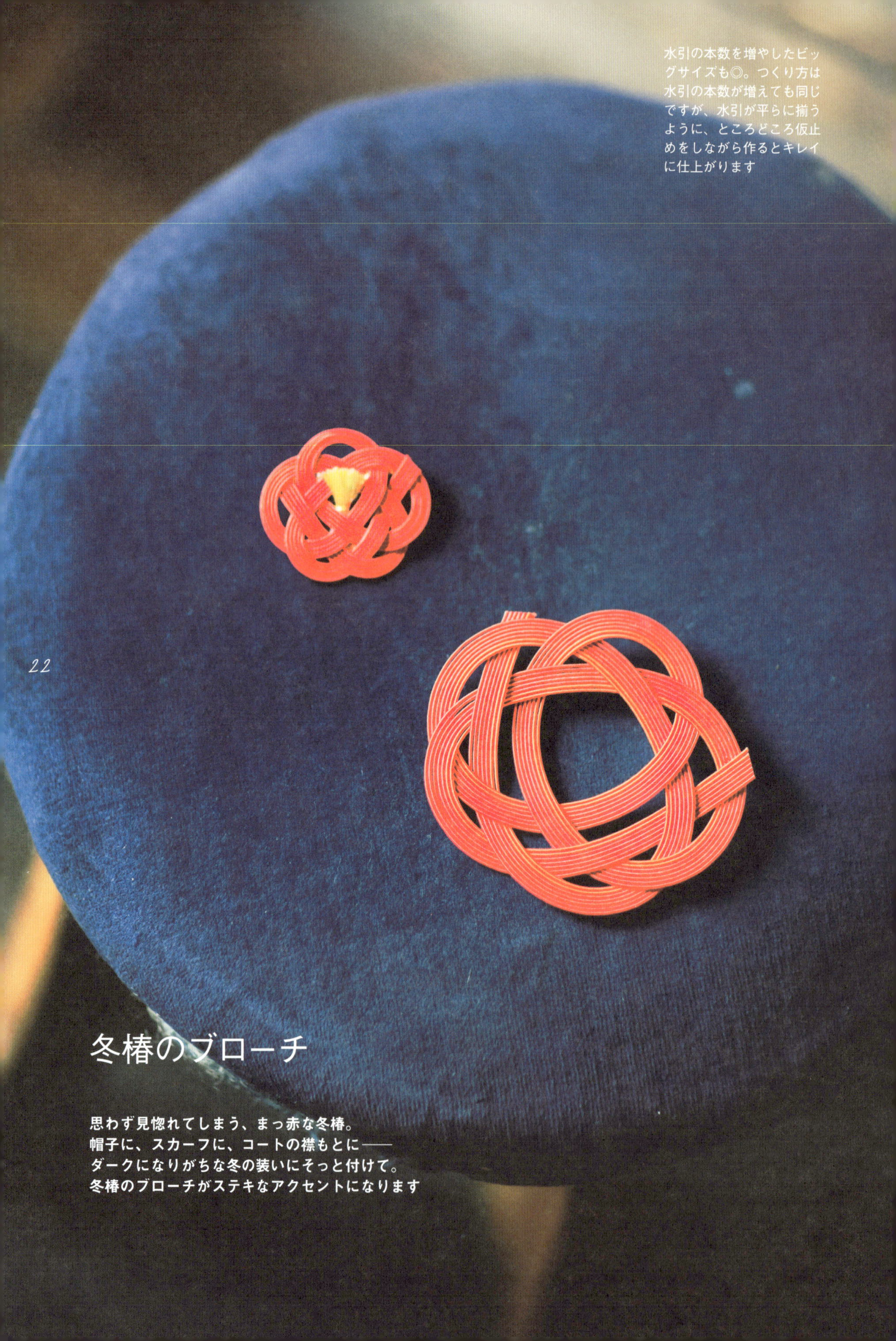

水引の本数を増やしたビッグサイズも◎。つくり方は水引の本数が増えても同じですが、水引が平らに揃うように、ところどころ仮止めをしながら作るとキレイに仕上がります

冬椿のブローチ

思わず見惚れてしまう、まっ赤な冬椿。
帽子に、スカーフに、コートの襟もとに——
ダークになりがちな冬の装いにそっと付けて。
冬椿のブローチがステキなアクセントになります

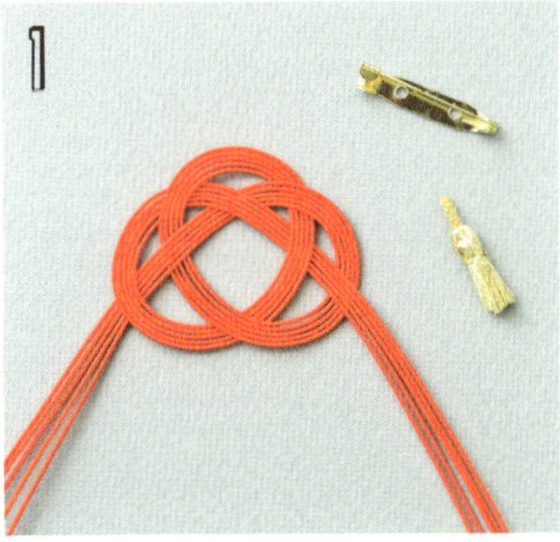

5本取りであわじ結び（P.8参照）し、パーツを揃えます

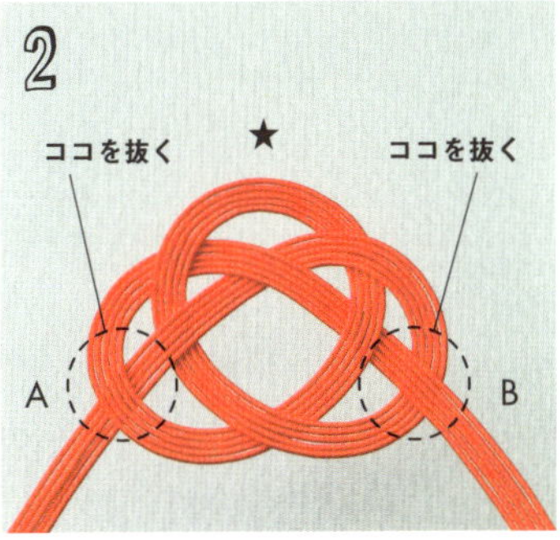

あわじ結びのAとBの部分の水引を輪から引き抜きます

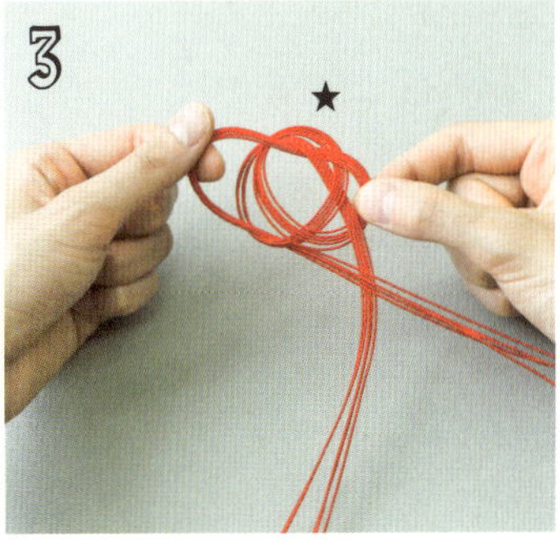

あわじ結びの形が崩れてしまわないよう、ゆっくりと丁寧に引き抜きます

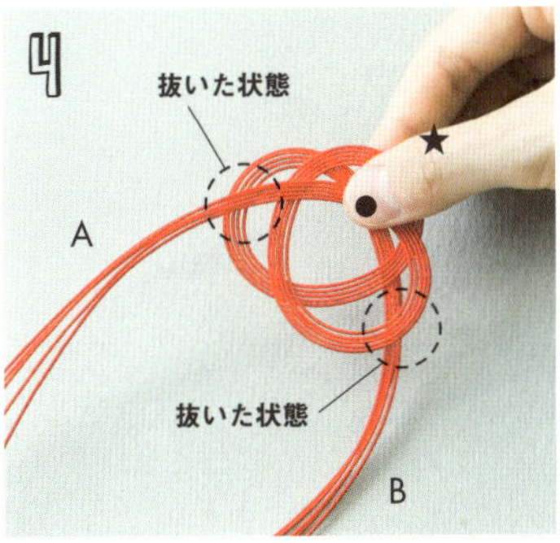

抜いた状態です。あわじ結びの形が崩れてしまわないよう、●部分を押さえましょう

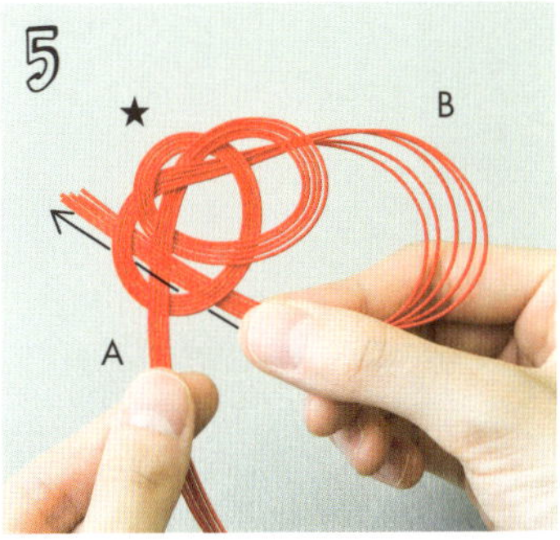

Bを下→上→下の順で通します

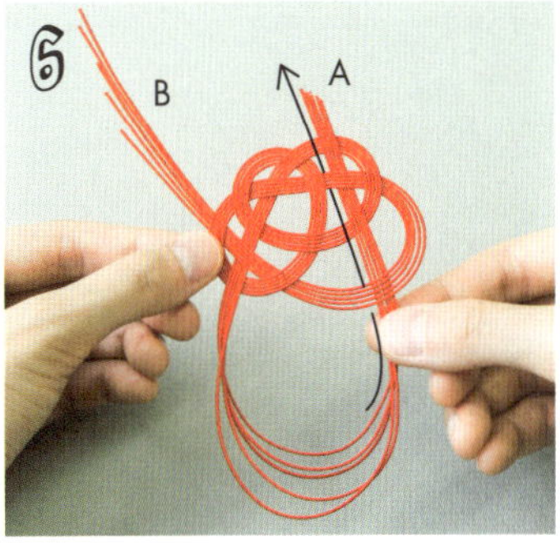

Aを下→上→下→上の順で通します

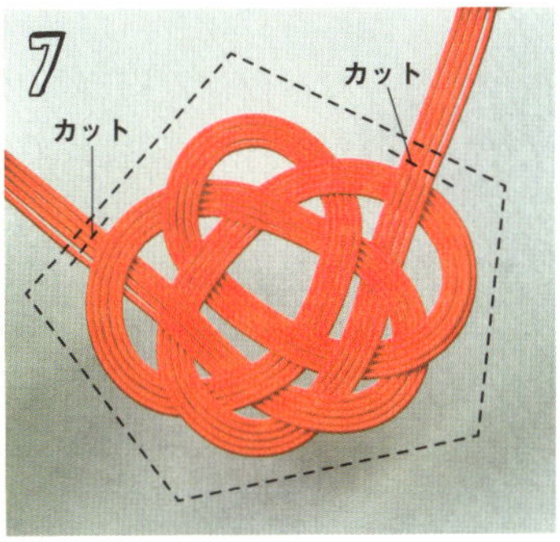

全体的に隙間を小さくして、横に広い印象に形を整えると椿らしく見えます

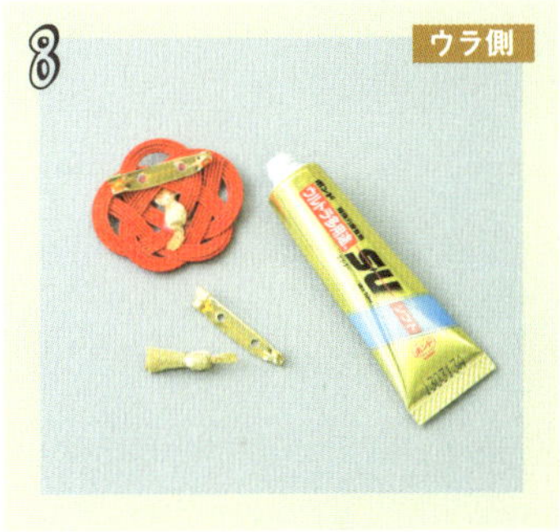

金属と紙などの異素材が接着できる多用途の接着剤でブローチ金具とミニタッセルを固定します

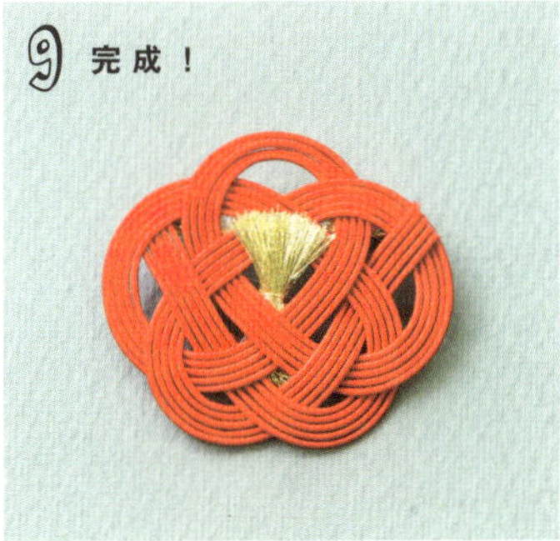

完成です。水引の本数や、形の整え方を変えれば、違った表情の椿のブローチを作ることができます

one point advice

水引の色を徐々に薄くして、グラデーションを付けるとより上品な印象の椿になります

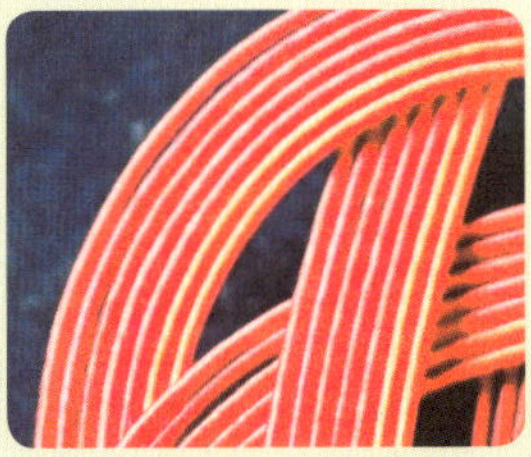

材料
60cm水引×5本
ブローチ用金具×1個
ミニタッセル×1個

色と素材で楽しむ
季節のぽち袋

材料
45cm 水引×１本
紙（本体用）15.5 × 10.7cm（24 × 12.8cm 以上）
紙（懐紙用）6.2 × 10.2cm（10.6 × 12.4cm 以上）
（　）内のサイズはお札三つ折りを入れる場合

Spring

― 春 ―

生命感あふれるフレッシュな組み合わせが◎。桜をイメージしたピンクのグラデーションはかわいらしく、シルバー系を組み合わせると大人かわいいイメージになります

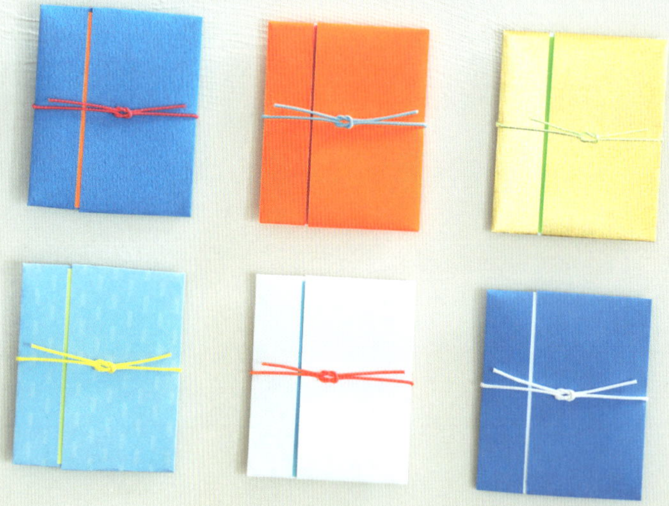

Summer

― 夏 ―

さんさんと降り注ぐ太陽の光、真っ青な空に白い雲。そんな夏らしい風景を切り取って。雨音を思わせる水玉や点々模様の紙を使うと、梅雨のじめじめも楽しく過ごせそうです

四季折々の自然や風景をイメージして色を合わせてみましょう。
水引と紙、色と素材の掛け合わせは無限大。
季節の移ろいゆく空のように、
水引やぽち袋、端紙の組み合わせ方で多彩な表情が生まれます

Autumn

― 秋 ―

実りの季節。栗や柿を思わせるような、こっくりとした深い色が大人なイメージです。少し光沢のある紙を使うと、ラグジュアリーな雰囲気で贅沢感を演出できます

Winter

― 冬 ―

しんとした暗闇、足跡のついていない降ったばかりの雪景色。静かで美しい冬の時間。白の紙と言えども種類は豊富！　地面の下では春支度……キレイ色のグリーンもステキです

水引の結び方で表情を変えて

春「菜の花結び」(P.9参照)

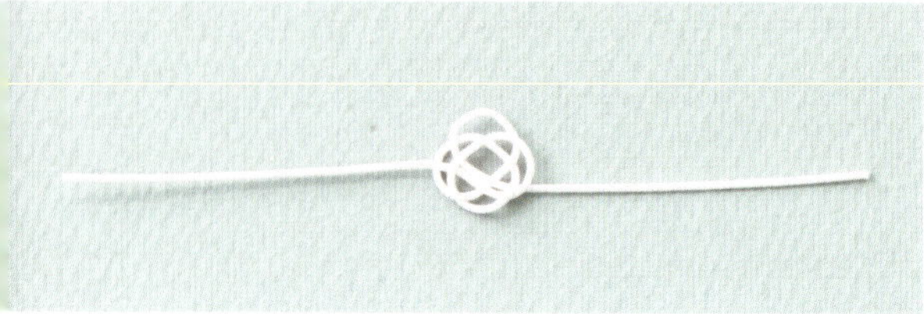

夏「結び切り」(P.6参照)

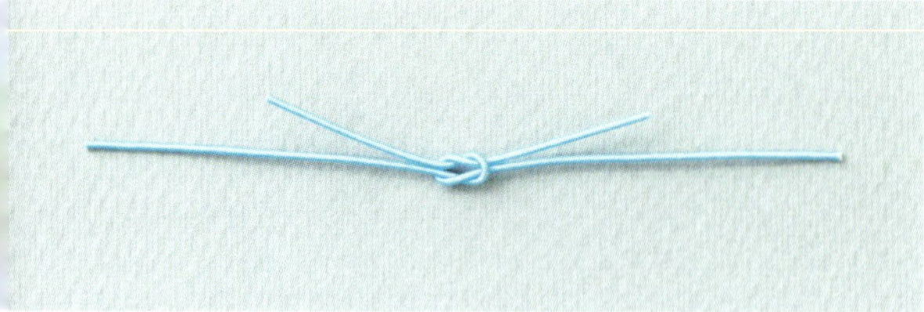

秋「あわじ結び」(P.8参照)

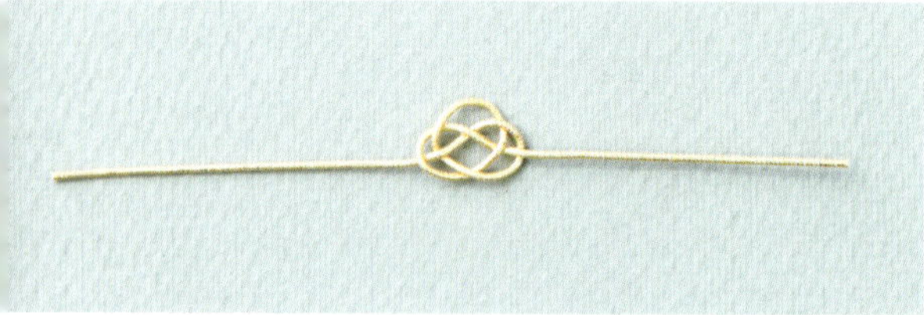

冬「ひとつ結び」(P.9参照)

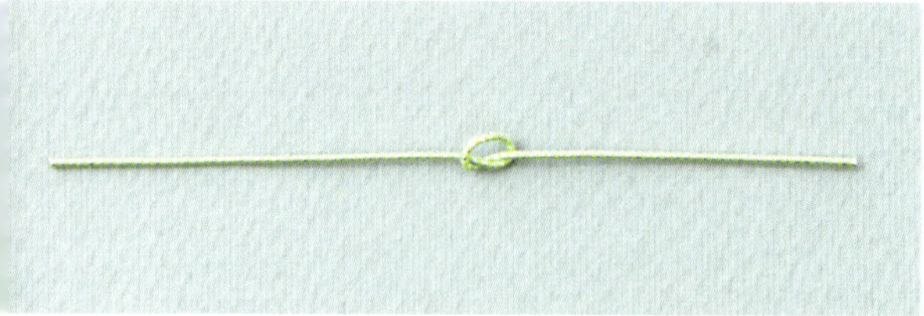

one point advice

飾りの位置を、懐紙を見せているラインに揃えてもかわいく仕上がります

中紙を見せるぽち袋の折り方

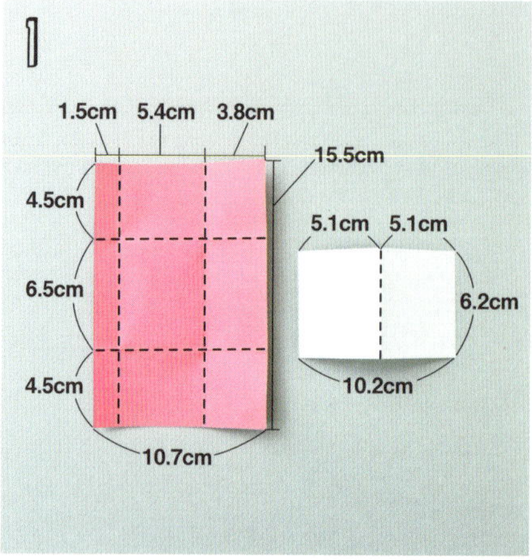

包み紙と懐紙を用意します。三つ折りのお札を入れたい場合は、24×12・8㎝以上で作ります。サイズはお好みで楽しんでください

この折り方は懐紙の色をチラリと見せるのがポイントです。包み紙と懐紙の色の掛け合いを愉しんでみてください

包み紙を折ります。懐紙を見せる幅も、お好みで調整してみてください。雰囲気が変わります

水引を結んで完成です

Column from NIPPON

水引の歴史

時代とともに日本に広く浸透していった水引。
作法やスタイルは少しずつ変化しながら今もなお、
相手を敬うという目には見えない気持ちや心を
包むものとして、私たちの生活の中にあります。

水引は「結びの道具」

江戸時代までの水引は「結びの道具」でした。当時の常識は陰陽説に則ってルールがあったようですが、丸いモノには受け手が左手で持って右手で解けるように、平らなモノは置いた状態で両手を使って解けるようにと、相手の使い勝手を考えて結び方を使い分けていました

熨斗鮑

熨斗（のし）とは、祝儀やおめでたい贈り物と一緒に添える熨斗鮑(あわび)のことです。その昔祝い事には酒と海産物、なまぐさ物がつきもので、貝のあわびをのしたものが添えられていました。時代とともに紙製や印刷などで代用されるようになりました

水引の起源は飛鳥時代までさかのぼり、遣隋使の小野妹子が帰国の折り、隋の使者からの贈り物に紅白に染め分けられた麻ひもがかけられていたことに端を発すと言われています。それから宮中での献上品には紅白の麻紐で結ぶ習慣が広がるようになりました。当時は「くれない」と呼ばれ、「みずひき」と呼ばれるようになったのは平安時代。室町時代になると和紙を細く撚った「こより」が使われるようになり、日本独特の文化として定着したのは江戸時代になってからと言われています。

「水引」という名は“和紙に水糊を引いて撚っていくことから”とも言われています。昔は紙の生産地では必ず水引が作られていたようで、紙の発達とも深い関係がありました。現在の水引は「こより」の表面に細い糸や、カラフルなフィルムが巻かれたものなど種類もカバーバリエーションも豊富です。

儀礼的な慶事の際の水引は、基本的に「紅白」「金銀」の奇数本(7･5･3)で結びます。また、結ぶときは濃い色を右、薄い色を左にします。たとえば、紅白の水引を結ぶ場合は「紅を右」「白を左」となります。

装飾的なものや普段の生活の中では、「蝶結び（＝花結び)」と「結び切り（＝こま結び)」の使い方（P.6参照）を念頭に置いた上で、渡す相手との関係やシチュエーションなどTPOを考えて、本数や色にこだわりすぎず楽しんでみましょう。最低限のルールは渡す相手に対して「失礼のないもの」「喜んでもらえるもの」であること。その点をを心得ていれば、美術館展覧会のフライヤーや雑誌の切り抜きなど、材料選びの幅がぐっと広がります。

ネックレスと同じ結び方でイヤリングに。コロコロ揺れるピアスにしてもかわいいです

→ つくり方は P.33へ

Part

3

日々を飾る

特別な日ではない、いつもの暮らしのアクセントに

水引アレンジを取り入れてみましょう。

日々を飾るインテリアやアクセサリーとして――

水引で生まれる丁寧な時間と空間を愉しんで。

コケ玉アクセサリー

リビングや玄関のインテリアに欠かせない、
グリーンにも水引を添えて。
まるで和菓子を盛りつけるようにかわいらしくセッティング。
ほっこり落ち着いた雰囲気が生まれます

ワイヤーを短く処理して、おせち料理やお皿に飾るのもおススメです

材料　コケ玉
45cm 水引×１本
#30 ワイヤー

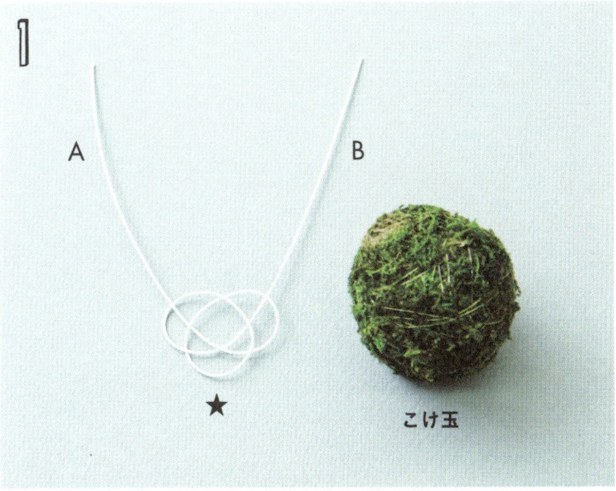

あわじ結び（P.8 参照）にした
水引とコケ玉を用意します

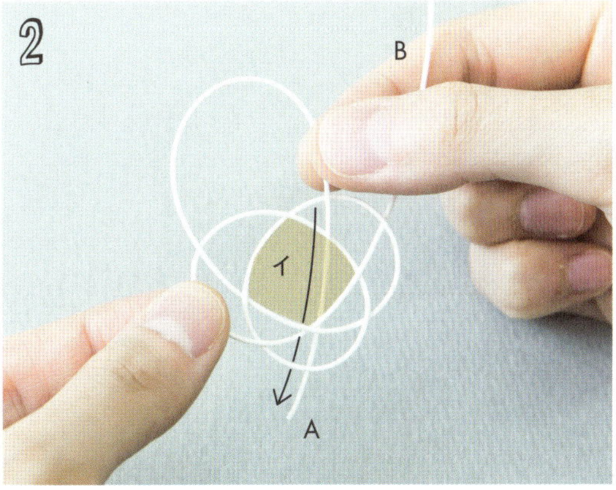

A をあわじ結びの中央の輪のイに通します

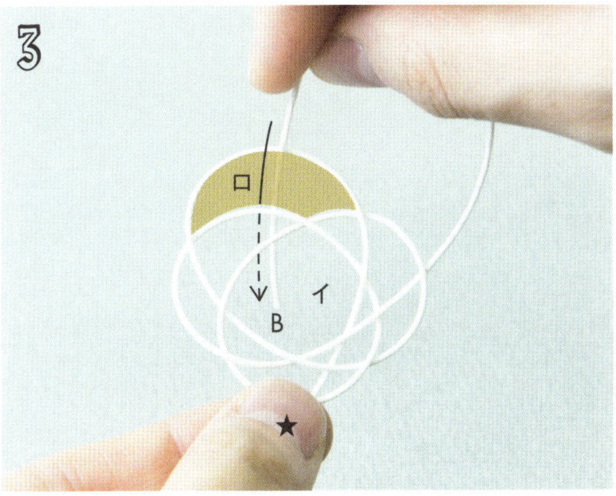

B を口に通します

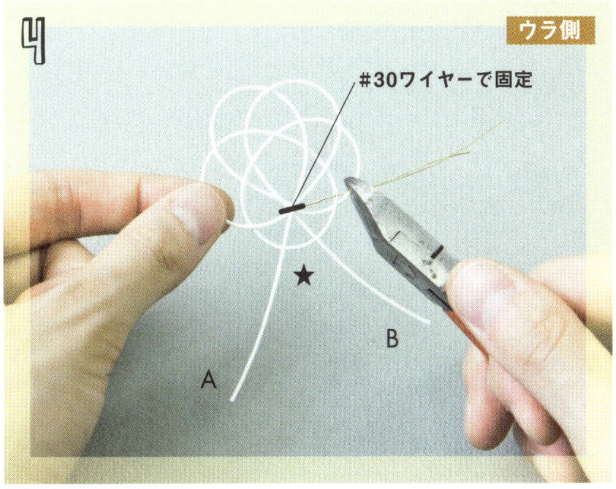

裏側から #30 ワイヤーで留め、A・B を適当な長さにカットします。このとき、ワイヤーは長めに残してカットしましょう

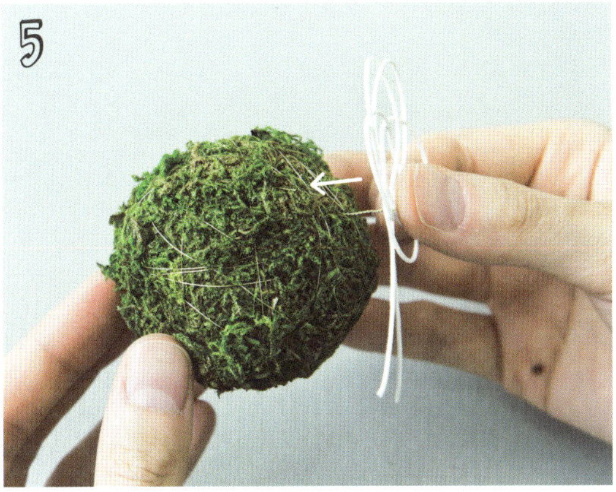

#30 ワイヤーをコケ玉に刺します

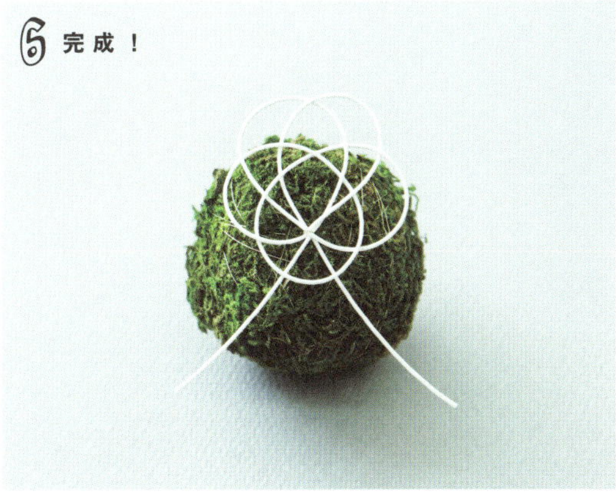

完成です。大小さまざまなコケ玉に飾ったり、高台があるものやガラスなど器を変えても雰囲気が変わります

カンタン水引アクセサリー

水引1本から作れるアクセサリーです。
オシャレするものだから、色は自由に選んで。
ブラックやグレーを使ってもOK！
豊富なカラーバリエーションと着けた時の軽さも魅力です

one point advice

水引ならではの、しなやかで美しいビビッドな色のアクセサリーを楽しんで。ネックレスの長さを短くすれば、お揃いのブレスレットもつくれます。水引は色落ちしにくいものがおススメです

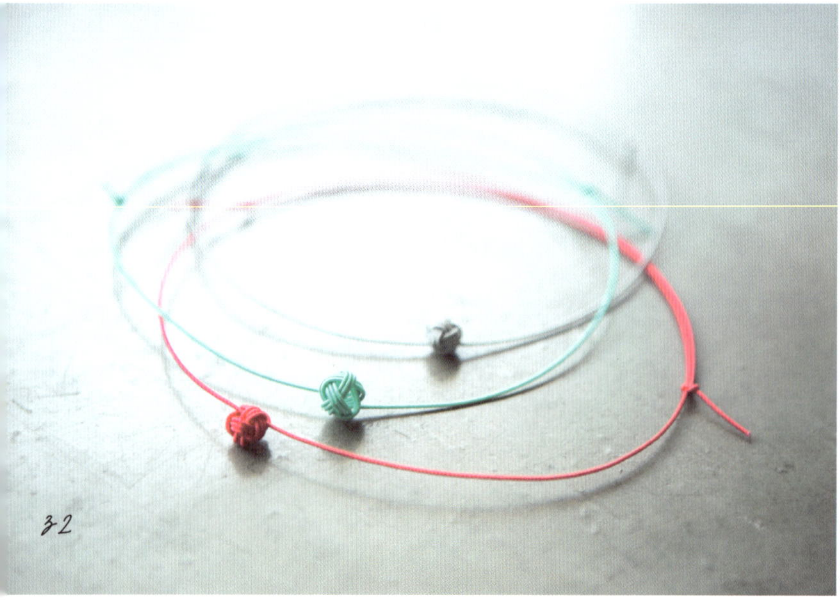

材料

【まあるく編んだネックレス】
90cm 水引×1本

【まあるく編んだイヤリング】
60cm 水引×1本（片方）
好みのアクセサリーパーツ

【大きなお花のイヤリング】
45cm 水引×1本（片方）
好みのアクセサリーパーツ
#30 ワイヤー

ネックレス

1

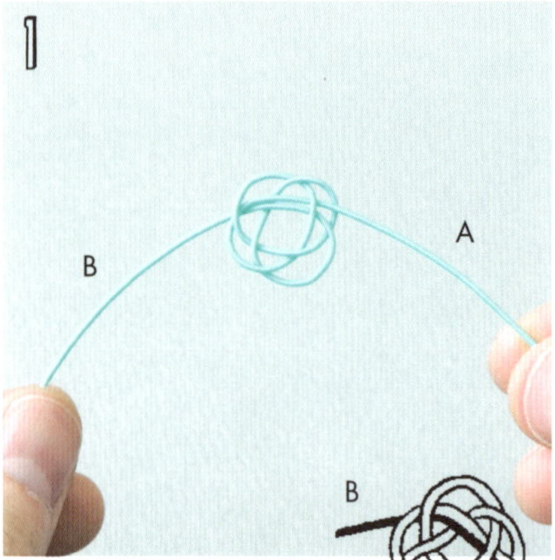

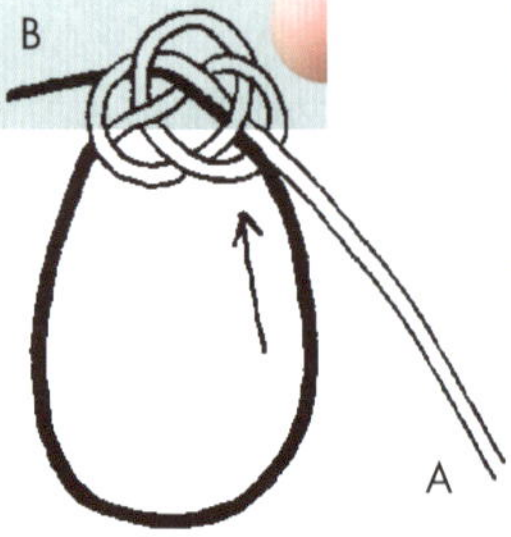

親指のツメの大きさ程の菜の花結び（P.9 参照）から始めます。まず、Bをあわじ結びの輪に沿って、内側へ内側へと同じ編み方で通していきます

2

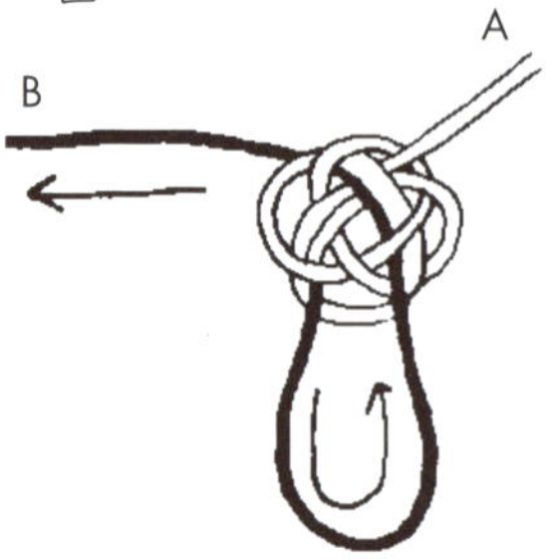

最初に作ったあわじ結びの内側へ順々に通していくと、1本のあわじ結びが二重になっていきます

3

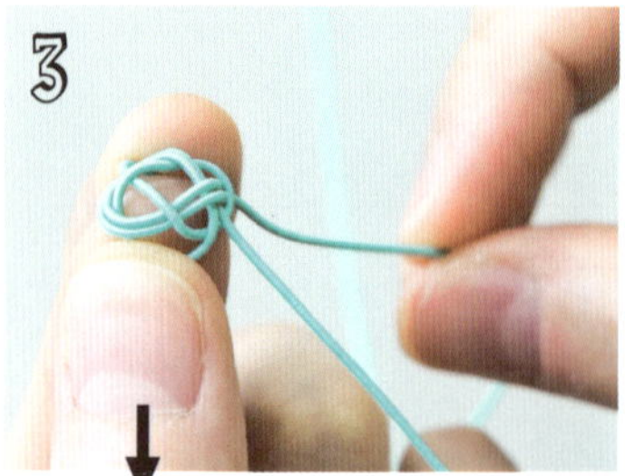

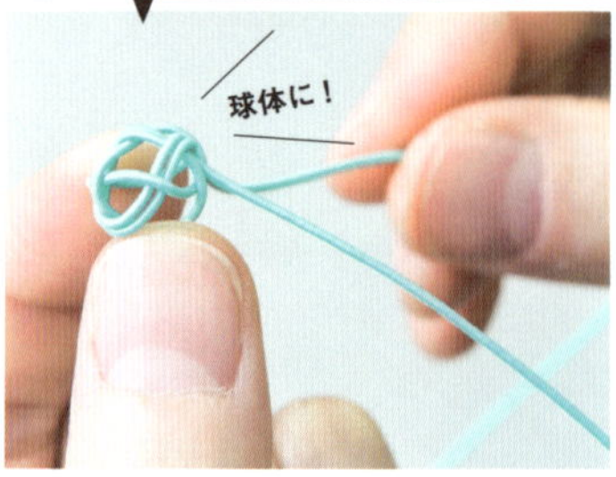

指を中心に入れながら半円球状にしていきます。この段階で球体に近い形にしておくと仕上がりがきれいです

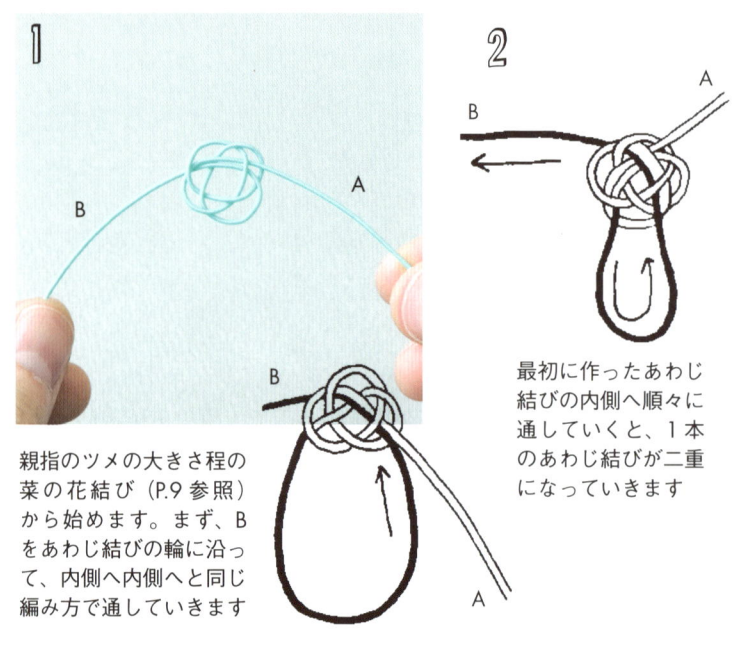

4

Bを全体的に二重になるよう沿わせます

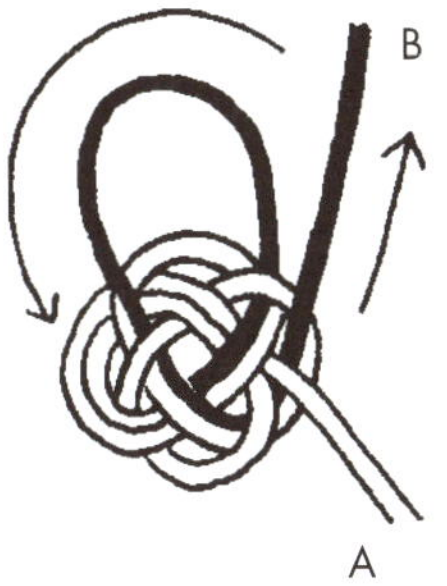

5

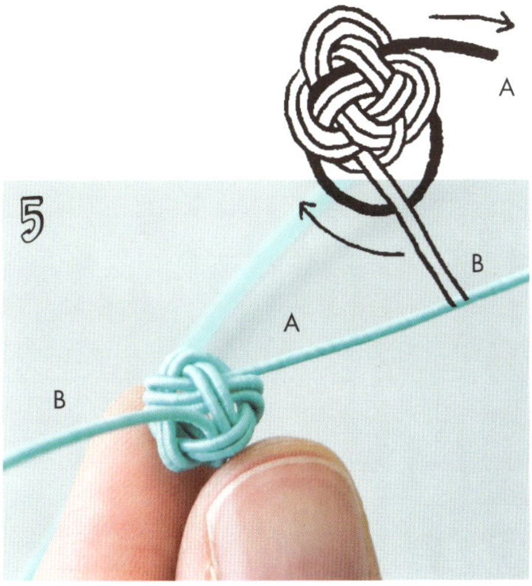

Bを沿わせ終えたら、Aを外側に沿って通し三重にしていきます

6 完成！

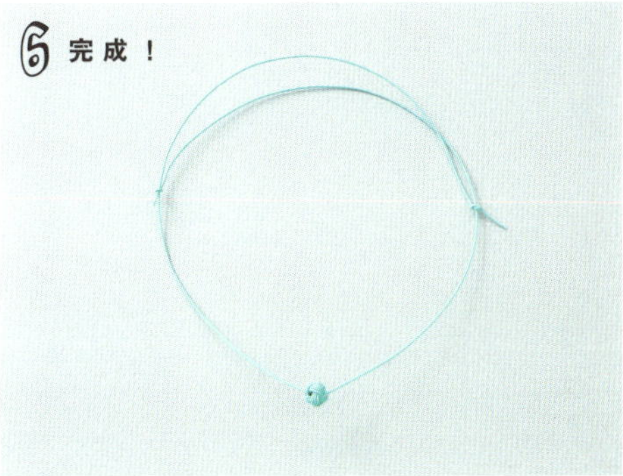

全体が三重になったら完成です。P.17で紹介したフラミンゴの脚と同じ結び方で留めると、ネックレスの長さが調整ができます

イヤリング

1

まあるく編んだネックレス、コケ玉（P.31参照）と同じモチーフでイヤリングをつくります。イヤリングパーツと水引の接着には、紙と金属が固定できる多用途用の接着剤を使いましょう

2 完成！

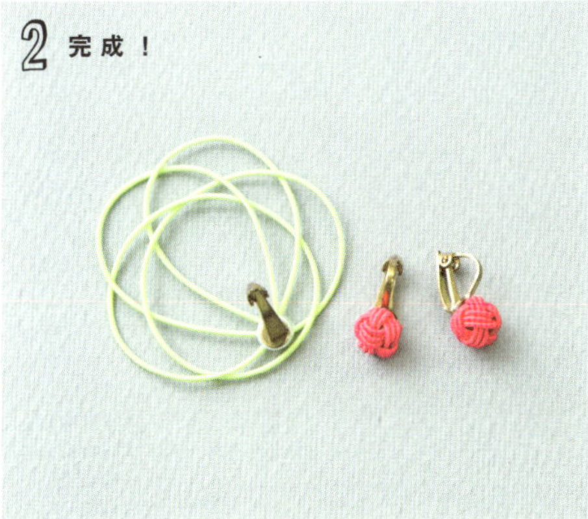

接着剤が乾いたら完成です。ピアスや指輪、ブローチなど好みのアクセサリーパーツでつくることもできます

水引でフラワーアレンジ

**水引をフラワーアレンジに使ってみましょう。
数本だけでも水引の存在感はバツグンです。
ちょっとラフな雰囲気に仕上げるのがちょうどイイ。
すぐにできる簡単アレンジです**

材料
- 90cm 水引× 2 本
- コットン
- グリーン
- 升

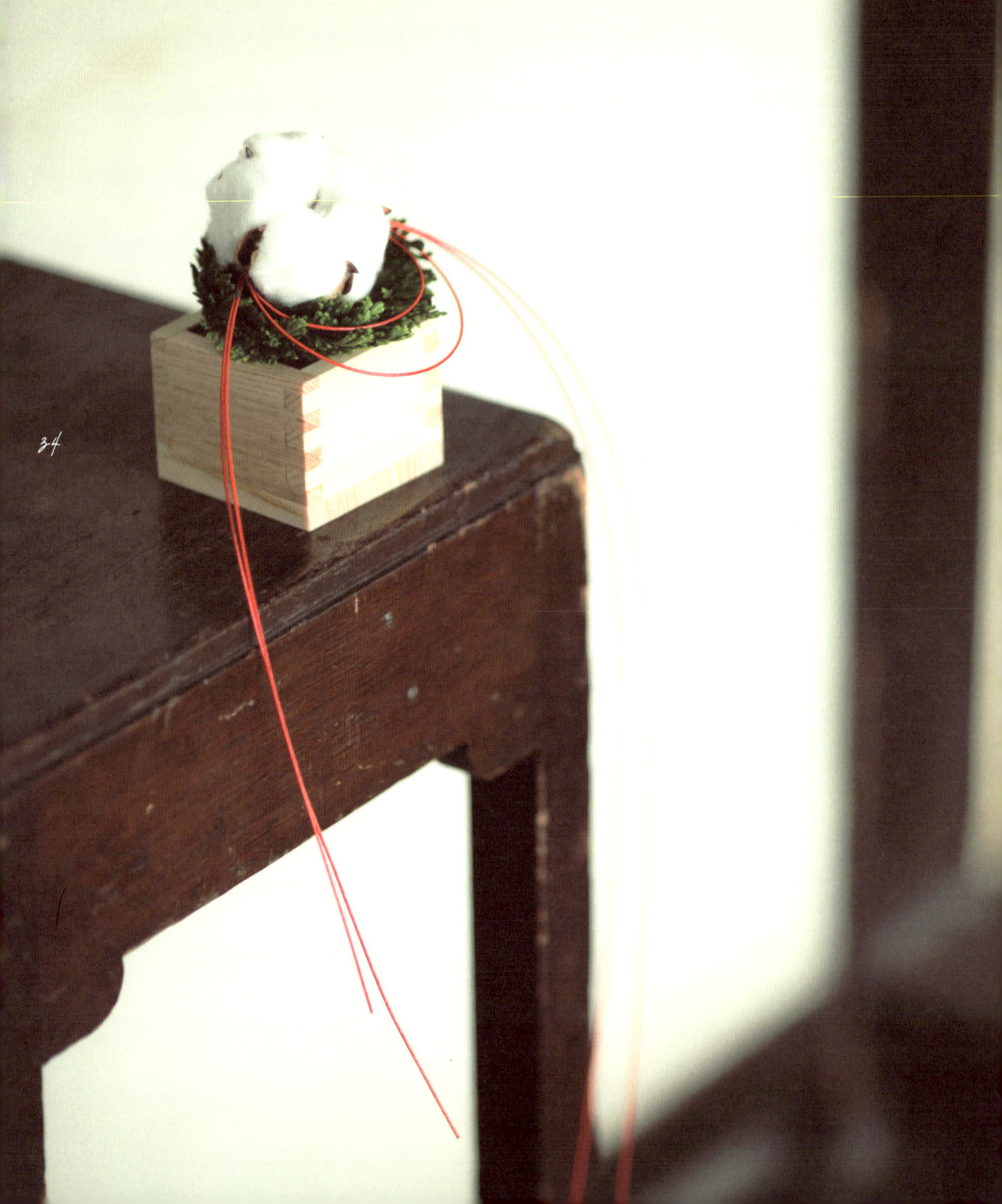

それぞれのパーツを用意します。水引は軽めにしごいておきます

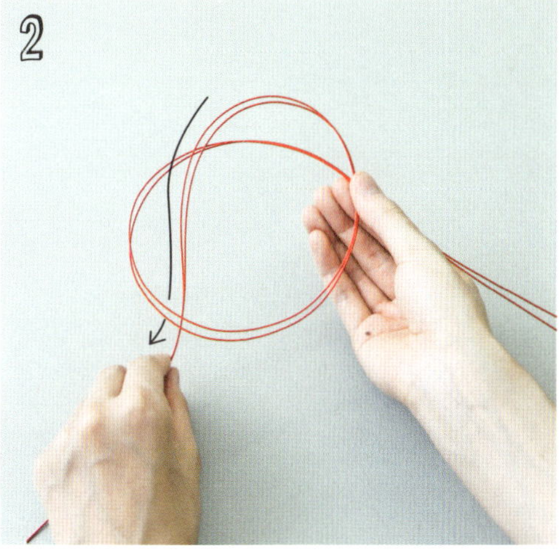

水引を緩くひとつ結び（P.9 参照）にします

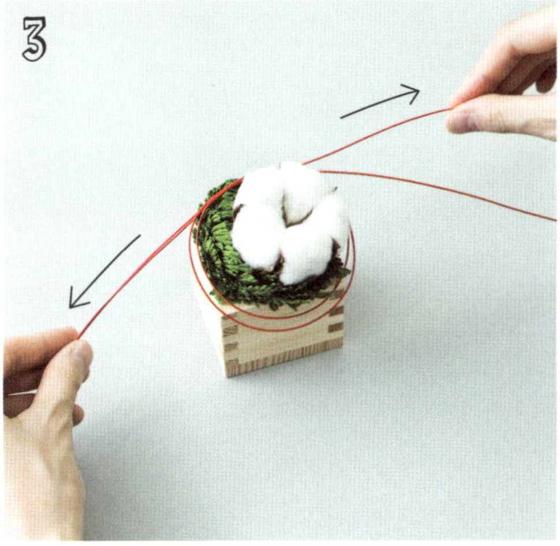

コットンとグリーンを升の上に載せて、左右の水引の長さを調整します

全体のバランスを整えて完成です。左右の水引の長さを非対称にするとアレンジに動きが出ます

one point advice

生花のアレンジなど、さまざまなフラワーアレンジに水引を使ってみましょう。濃い色の花をベースにしたフラワーアレンジでは、白の水引をメインにして、キラキラした水引を数本混ぜるとより美しいニュアンスになります。また、白い花をメインにして、赤色の水引を指し色として使うと、印象が変わります

クリスマス＆お正月オーナメント

クリスマスが終わるとすぐに、
お正月へと街の雰囲気がガラリと変わるように、
水引リングを 180 度回転させるだけでイメージチェンジできる
簡単＆手軽なオーナメントで部屋を飾ってみませんか

1

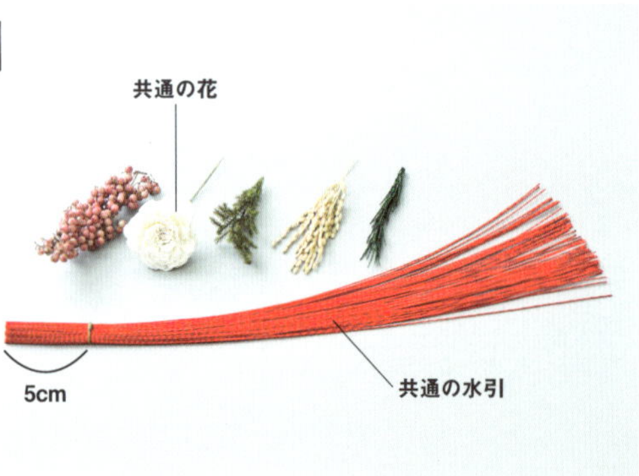

各パーツを用意します。水引は端から 5cm のところで #24 のワイヤーで留めておきます

2

#24 のワイヤーを 2 本、ドライフラワーの裏側に木工用ボンドで接着します

材料

【共通】
45cm 水引×70本
#24 ワイヤー
ドライフラワー（共通の花）

【クリスマス用】
好みのグリーン
好みの木の実

【お正月用】
稲穂
松

one point advice

ホットボンドを使えば固定も簡単。ホームセンターなどで1000円程度から高価なものまで、購入することができます

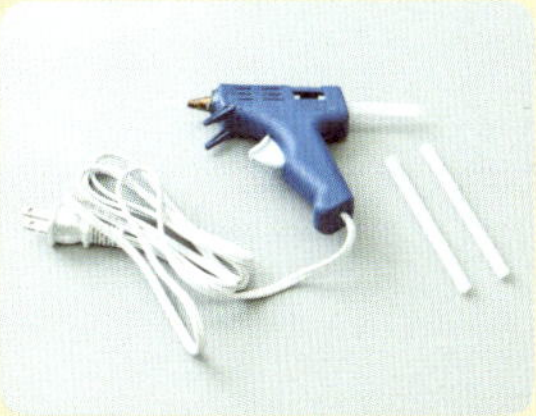

束にした水引を矢印方向にねじります

水引をさらにねじりながらリングを作ります

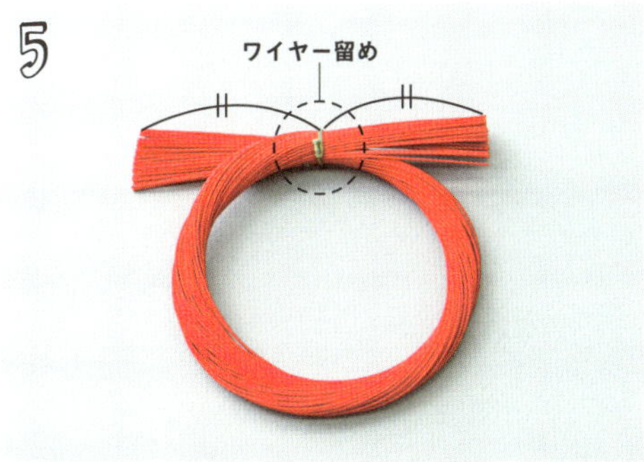

太い #24 ワイヤーで固定し、
余分な水引をカットします

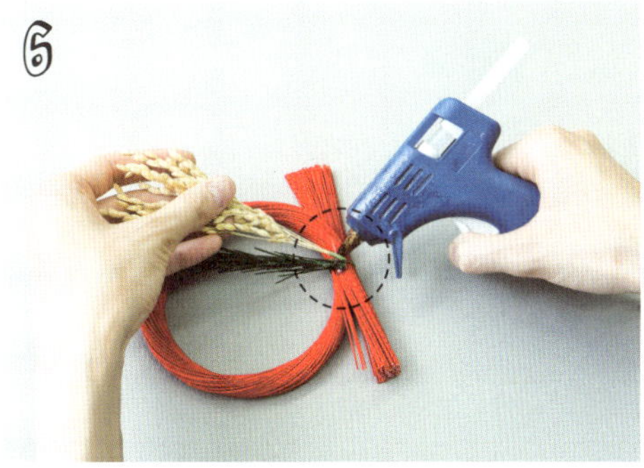

ホットボンドで稲穂と松を固定します

花の根本に取りつけたワイヤーで稲穂と松と一緒にリングに固定します

飾りを180度反転させて、飾りを変えればクリスマスリースとしても使えます。メインの花は共通。クリスマスにもお正月にも使える簡単アレンジです

column

from PARIS

お飾り de PARIS

2004年から1年間、パリの街に部屋を借り、
その空気を感じながら水引の制作活動をしていました。
パリというキラキラした響きとは裏腹に意外とドロくさい、
“お飾り de PARIS”のエピソードを紹介します！

　何もかも初めての連続だったパリ。もちろん、水引飾りの営業をするのも初めて。まずは地図を片手にパリの街を歩き、市場調査からスタートした活動。日常生活での不自由だけでなく、水引はもちろん、飾りに必要な藁や松など日本独自の材料の輸入方法も難題！　滞在中に「やめておけばよかった」と何度思ったことか。「動けば動く」を合言葉にもがく中で、たくさんの人に出会い、多くの助けを得ました。そして、ホテルやレストランでのディスプレイを中心に、活動は動き出したのです。

　フランス人の美意識や価値観に衝撃を受け、日本では考えられないようなシチュエーションの連続に戸惑いながらの制作。けれど、パリに来て間もない自分にも、個性を認めてもらえる自由な空気がそこにはあって、自信に繋がると同時に責任もずっしり。「日本人としての自分」を深く考えさせられ、水引という伝統をとても誇りに思えたパリでの貴重な時間。そして珍道中の数々。ほんの少しご紹介します！

美への理解と器の大きさが違う⁉

フランス語は挨拶程度。そんな私の営業スタイルは「直接ショップへ」が基本。ドキドキしながらショップオーナーに名刺を渡すと「あなたの作品がステキかどうかよ。それを私が好きかどうか！」と、フランス人マダム。美意識が違う！　個人の持つ美の器が大きいと感じた瞬間です

HOTEL Ritz Paris（ホテル・リッツ・パリ）
従業員用通路のヒミツ

ホテル・リッツ・パリでディスプレイを行ったときのこと。当然のように搬入は裏口の従業員用通路から。「正面から入ってみたいなぁ」とボヤく私に「あら、ダイアナ妃もいつもここからだったのよ」とスタッフの女性。「それならＯＫ！？」なんてトクをした気分になる反面、未だに正面玄関は憧れなのです

パリの街をランウェイ？
風呂敷 de 納品！

水引飾りは大きくて繊細。持ち運ぶときは平たく包むのが一番です。いざ、納品するときは、大きな風呂敷に包んでお店まで歩きました。これも立派な日本文化。だけどとにかく目立ちます。道行く人は不思議そうな顔で、何とそのままお店までついてきた人まで。風呂敷でパリの街をランウェイ。“宣伝活動に風呂敷”。このテクニック、使えます！

帰国してから、積極的にデザインとして黒を取り入れるようになりました。たったひとすじ黒が入っているだけで画面全体が締まって見えるのです

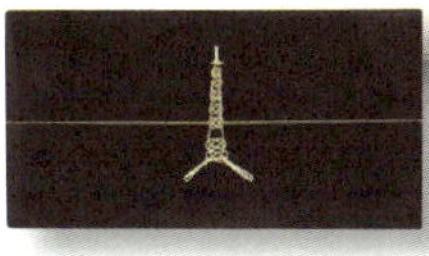

「黒」という色について

「黒はおめでたくない色」。いつの間にか当然のように考えていました。「どうして黒を使わないの？　黒も“ノワール”と言って立派な色よ！」そんなフランス人マダムの一言に価値観の壁が崩れました。黒色の認識。この出来事がきっかけになり、お祝い事としても受け入れられる瀬戸際のデザインを探り始めました

恐るべし。
斬新なアイディアと
大胆なディスプレイ

日本への帰国直前、余った水引をお世話になったショップのオーナーに譲ることにしました。水引は全長90cm、細くて繊細。そのまま保管するのは意外と難しい素材です。どうするのか訊ねると「長い額に入れてそのまま飾るわ！」。素材を飾る。本当に発想が柔軟で美への意識が高い！

Part 4

気持ちを伝える

水引は編むだけではなく、筆で一本の線を描くようにも使えます。
かわいいだけでなく、ちょっとクールな雰囲気の演出にもおススメです

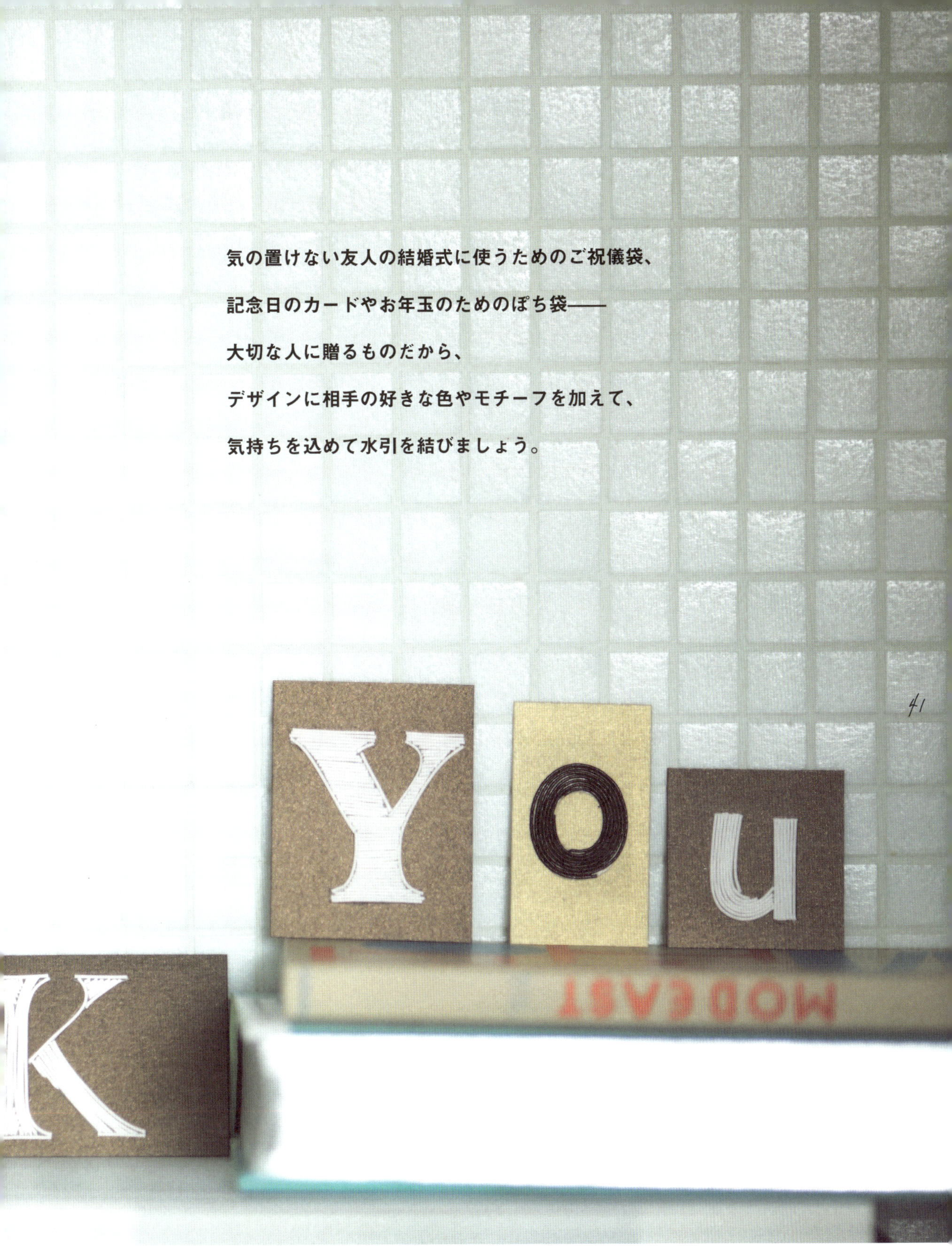

気の置けない友人の結婚式に使うためのご祝儀袋、

記念日のカードやお年玉のためのぽち袋——

大切な人に贈るものだから、

デザインに相手の好きな色やモチーフを加えて、

気持ちを込めて水引を結びましょう。

≡► つくり方は P.42 へ

想いを伝えるアルファベットのカード

水引を１本ずつ沿わせながらつくるカードは、
素材として水引の魅力を見せられるとっておきのアイテム。
カラフルな台紙や個性的な水引を使ったり、
いろいろなサイズや書体でつくってみましょう

材料

水引適量
カード
文字の下絵
両面テープ

one point advice

カードには、ある程度厚みのあり、両面テープのはがしやすい表面がつるっとした紙を選びましょう。出来たカードをガーランドのように吊っても◎。好みの書体でいろいろ試してみましょう

1

水引とつくりたい文字をプリントした用紙、台紙となるカードを用意します

カードに文字の下絵をマスキングテープで仮止めします。先の尖ったボールペンなどで、カードに写るように、しっかりと文字のアウトラインをトレースします

カードに文字がはっきりと写っているか確認しましょう

文字部分を覆うように両面テープを貼ります

アウトライン通りにカッターで切りこみを入れ、文字以外の余分な部分の両面テープは剥がしましょう。ピンセットを使うとカードが破れにくく、おススメです

水引でアウトラインを囲み、中身を水引で埋めていきます

文字部分の上に木工用ボンドを薄くぬって完成です。水引が剥がれにくくなります

漢字のカードも◎。家族でのお祝いごとにも活躍します

松・竹・梅のカラフルご祝儀袋

材料

〈共通〉
15cm 水引× 2 本（熨斗用）
包み紙 39cm × 23.7cm
端紙 21cm × 3cm
短冊 18cm × 2cm

〈松〉
60cm 水引× 3 本（松用）
45cm 水引× 1 本（帯用）

〈竹〉
60cm 水引× 3 本（竹用）
45cm 水引× 1 本（帯用）

〈梅〉
60cm 水引× 3 本（梅用）
45cm 水引× 1 本（帯用）
#30 ワイヤー

**縁起の良いモチーフの代表ともいえる「松・竹・梅」。
古典的な結びも少しだけビビッドな色合いに仕上げると、
ぐっとモダンな印象になります。
シンプルかつ大胆に、世界で一つのオリジナルご祝儀袋をつくりましょう**

紅・白・金でまとめてもOK。
落ち着いた雰囲気を演出したい
ときは同系色でまとめて

ドレスや着物を選ぶように
ご祝儀袋にもオリジナリティを

ご祝儀袋の基本は白ですが、最近では個性的なものも増えています。カジュアルなウエディングや親しい友人に贈るご祝儀袋をシーンに合わせてつくりましょう。デザインは、相手の趣味嗜好を考えながら“失礼にならないように”がポイントです。

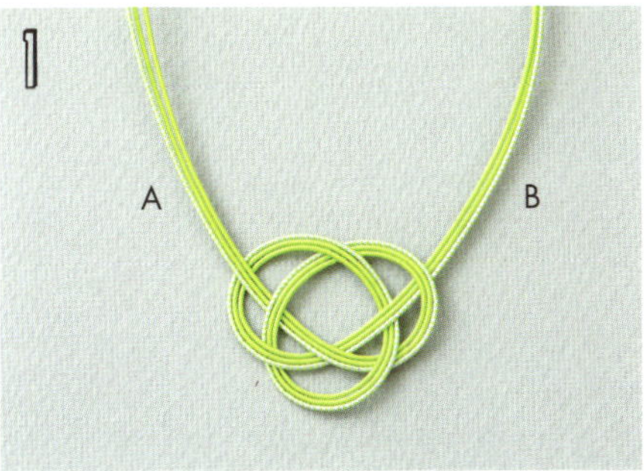

水引のほぼ中央の位置であわじ結び（P.8 参照）をつくります

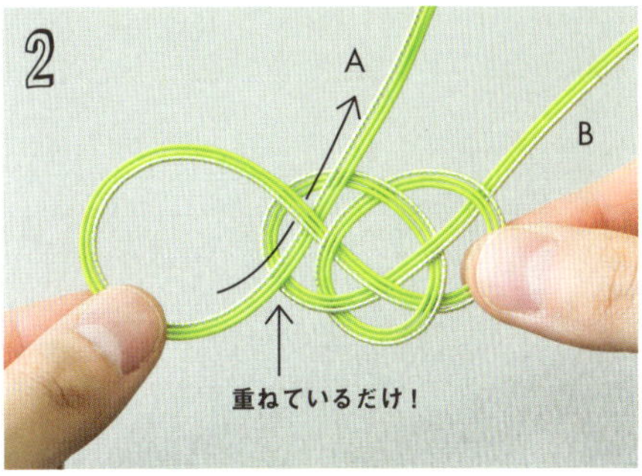

A で左横に輪をつくり、写真のようにあわじ結びの上に重ねます

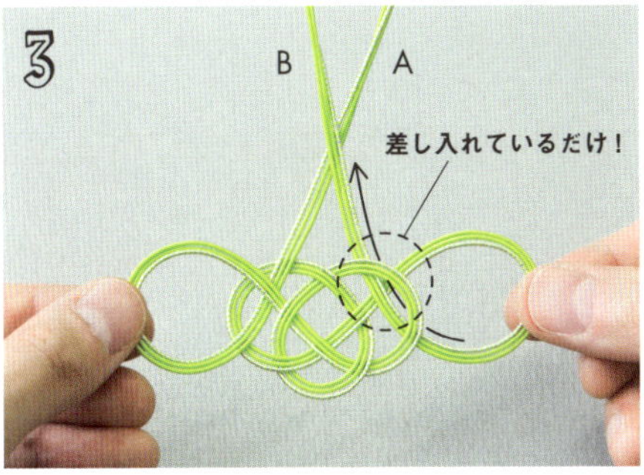

B も同様に右側に輪をつくり、あわじ結びの下に差し入れます。B の先は A の上に重ねて交差させます

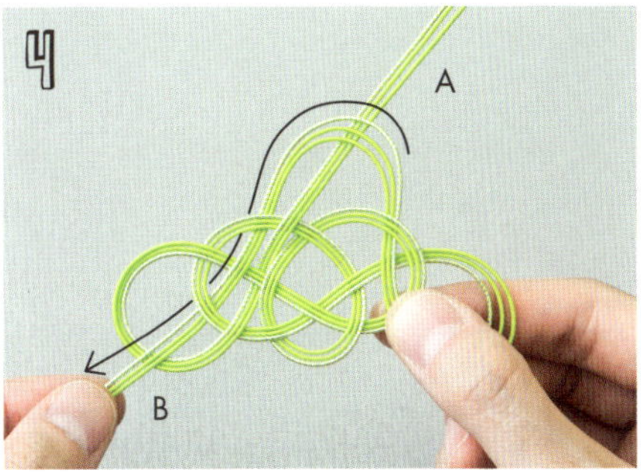

B をあわじ結びの下から入れて上→下→上の順で編んでいきます

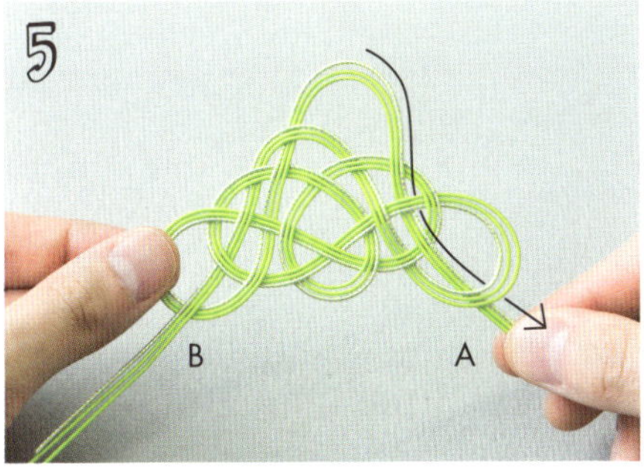

A も同様にあわじ結びの上から入れて下→上→下の順に編み入れます

1 本 1 本の水引が平らに揃うように、形を整えます。帯用水引を★の位置でこま結び（P.6 参照）をして留めます

紙を折り（P.10 参照）、熨斗をホットボンドまたは木工用ボンドで留めた後、水引をセットして完成です

one point advice

端紙の幅を色々試してみましょう。ご祝儀袋の雰囲気がガラリと変わります。ドットやストライプの紙を使ってワンポイントにするのも◎

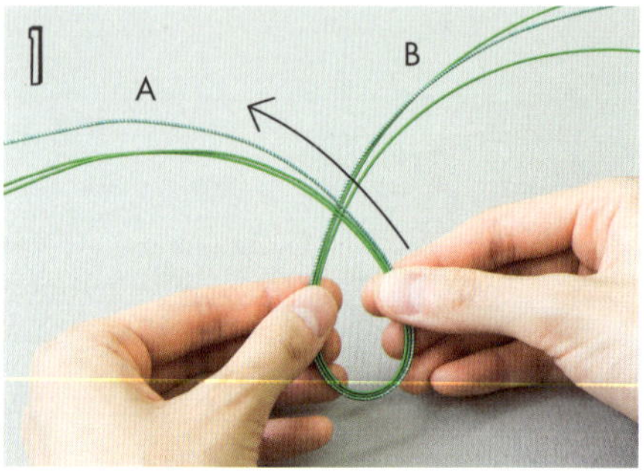

Aが上になるよう、Bと交差させます

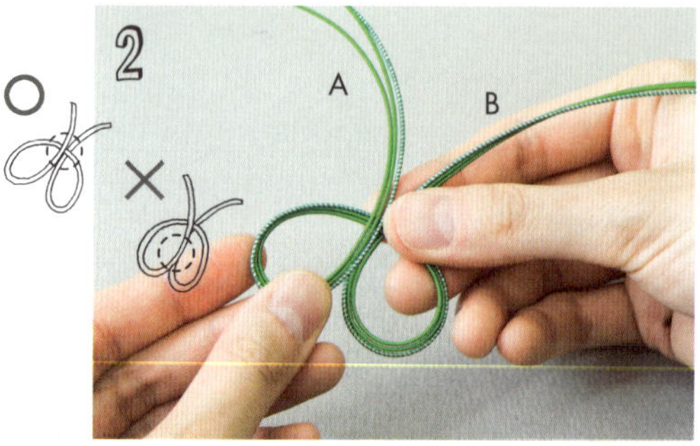

Aで左側に輪をつくります。左右の輪は重ねずに並べて揃えることがポイントです

Bで輪をつくり、イの輪に通します

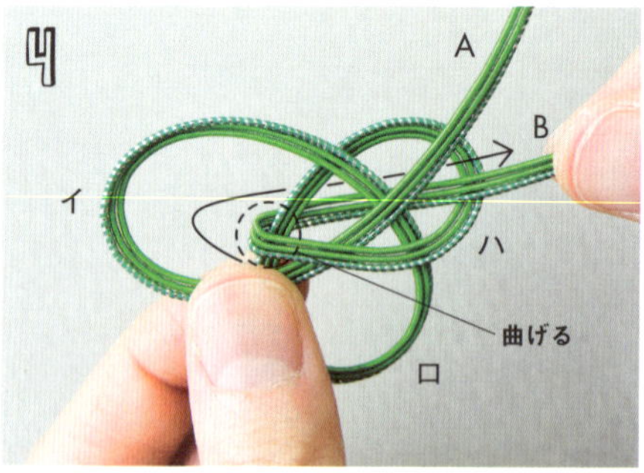

Bを裏側へ曲げ、ハの輪から表側へ出します

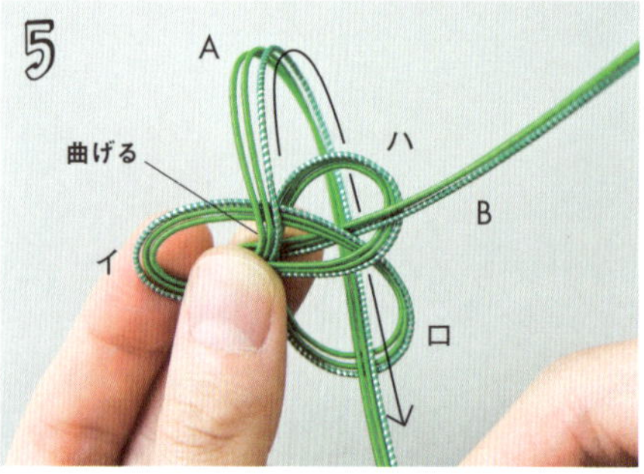

Aを裏側に曲げ、ロの輪から出します

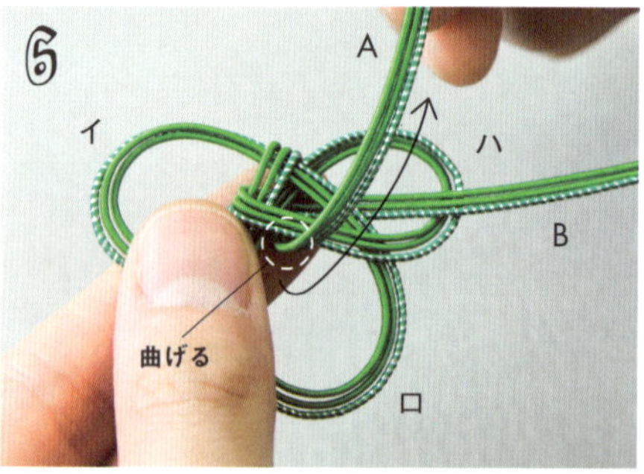

ロから出したAを上側に曲げます

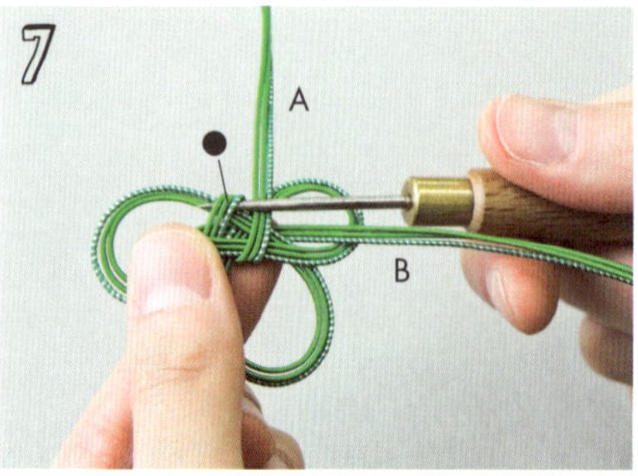

水引が通るように、●の箇所を目うちなどで少しすき間をつくります

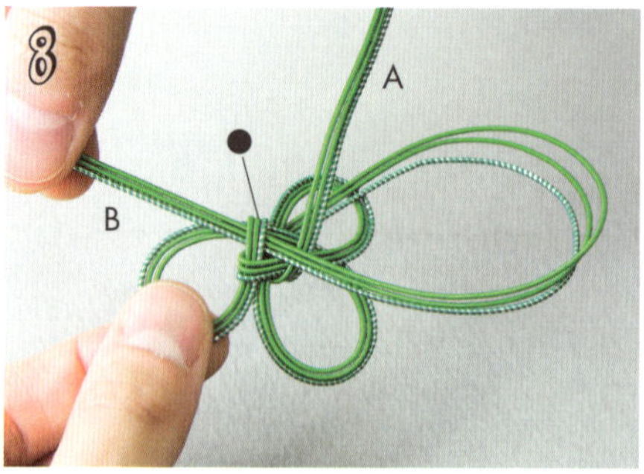

Bを手順7でつくった●のすき間にくぐらせます

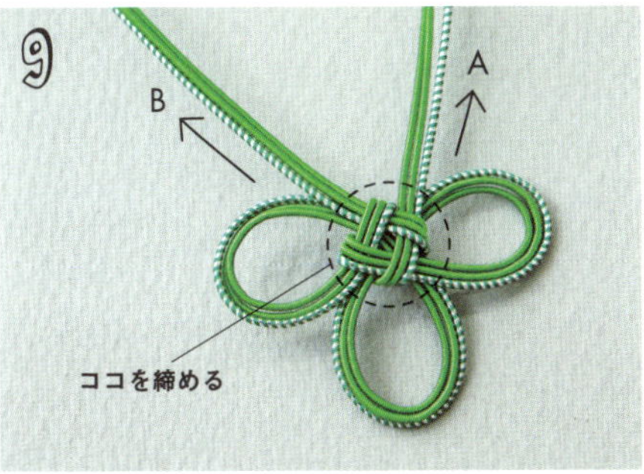

AとBを交互に引っ張りながら、
結び部分を締めていきます

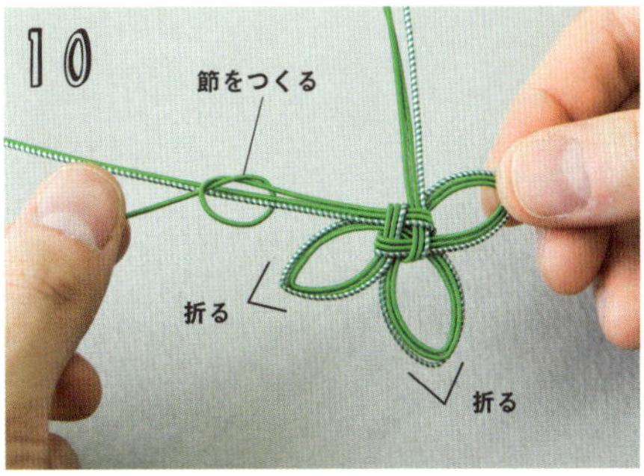

輪の先端を折って葉の形をつくります。竹の雰囲気を出すために、A・Bそれぞれの余った部分の水引3本のうちの1本で節をつくります

裏側に帯用水引を通します

紙を折り（P.10参照）、熨斗をホットボンドまたは木工用ボンドで留めた後、水引をセットして完成です

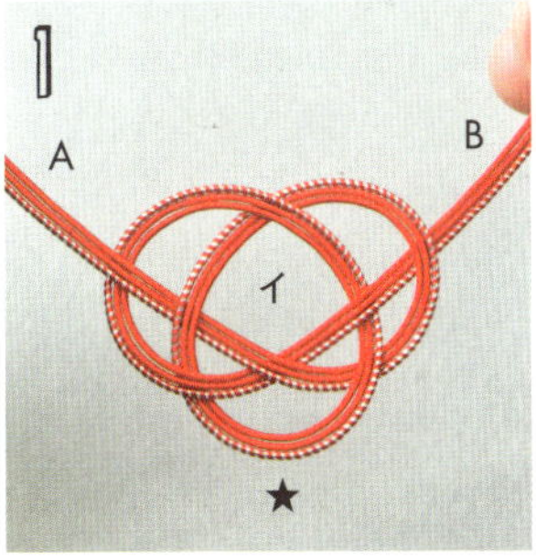

水引の中央であわじ結び（P.8参照）をつくります

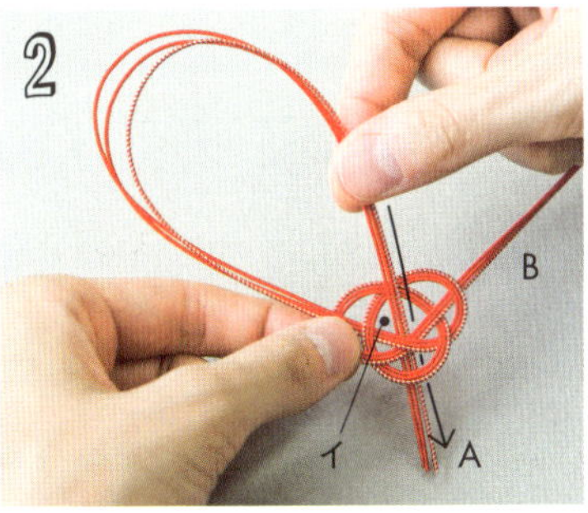

Aをイの上から通します

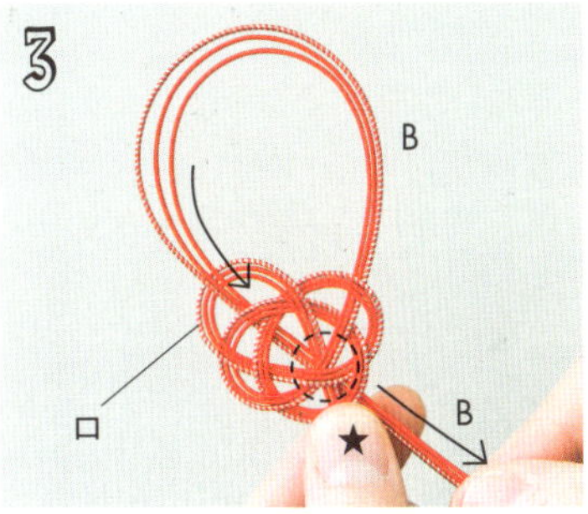

Bをロに上から通します。○部分に水引が集まるよう編んだ後、裏側から#30ワイヤーで固定します

花弁5枚が同じ大きさになるように調整します。ワイヤーで留めた部分が隠れるように、帯用水引でこま結び（P.6参照）をします

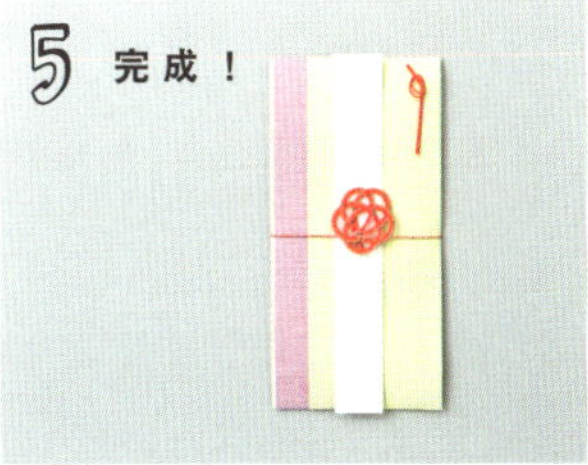

紙を折り（P.10参照）、熨斗をホットボンドまたは木工用ボンドで留めた後、水引をセットして完成です

干支モチーフのぽち袋

新しい年の干支が気になり始める年の瀬。
とびっきりの笑顔が返ってきますようにと心を込めて、
子どもたちに渡すぽち袋に、干支モチーフの
水引飾りを付けてみませんか？

お正月だけでなく
普段使いにも役立つ動物モチーフ

12種類の動物をモチーフにして、水引を結びました。お年玉には、その年の干支や、渡す相手の干支を。使う水引の色を変えると、動物の表情も違った雰囲気になります。入学式やお誕生日といったお祝い事には、うさぎやねずみ、犬や寅のモチーフを人気のキャラクターに見立てて結ぶのも楽しいですね。

ねずみ／子

チーズをかじっているネズミをイメージしました。水色やグレーの水引でつくるのも◎

材料
45cm 水引× 2 本（顔用）
20cm 水引× 2 本（耳用）
10cm 水引× 1 本（ヒゲ用）
#30 ワイヤー
包み紙 14cm × 16.5cm
端紙 9cm × 1.5cm

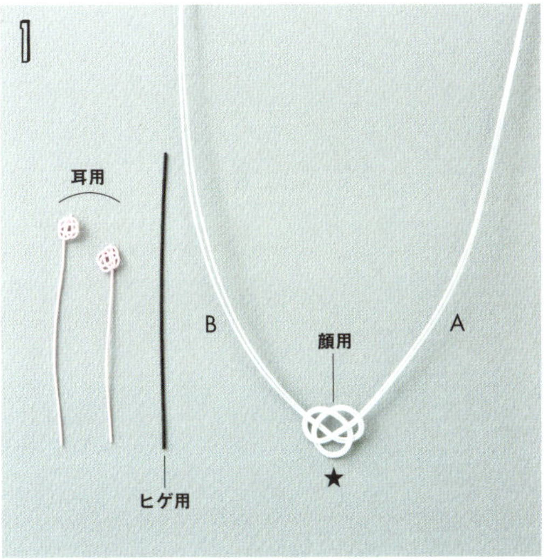

顔用の水引は中央であわじ結び（P.8 参照）、耳用の水引は菜の花結び（P.9 参照）にして各パーツを用意します

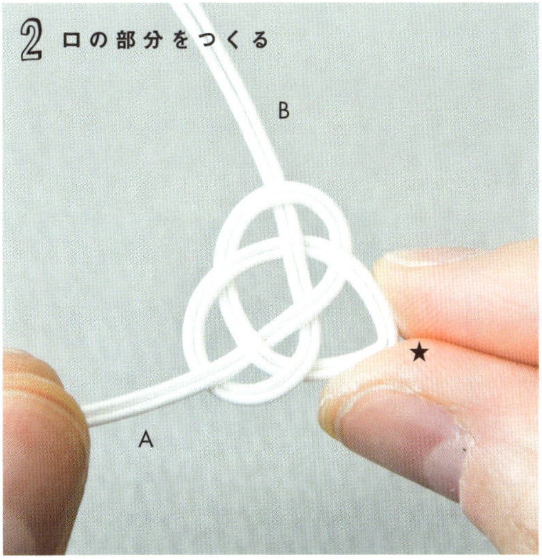

★の部分をとがらせて、口の形をつくります

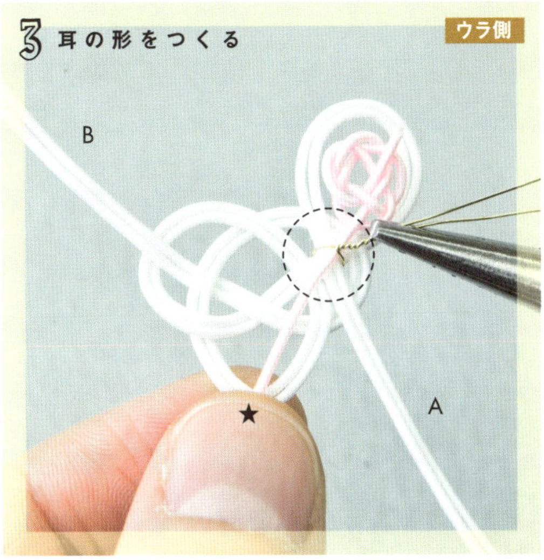

A・B の水引を耳のように形づくり、菜の花結びをした耳用パーツと一緒に裏側から #30 ワイヤーで固定します

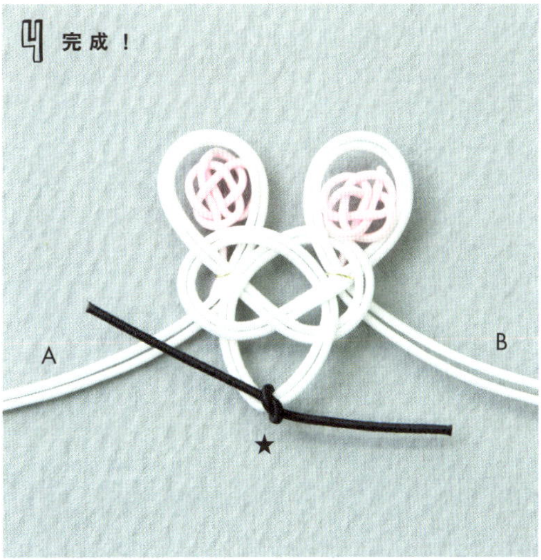

両側の耳の部分をつくり、ヒゲ用水引を★部分にひとつ結び（P.9 参照）したら完成です。A・B の部分はカットせず、ぽち袋に飾りを付けるための帯として活用します

うし／丑

白と黒（または茶）の水引で牛らしさを表現。つくる方向と全体のバランスに気をつけて

材料
- 60cm 水引× 4 本（顔用）
- 10cm 水引× 1 本（鼻輪用）
- #30 ワイヤー
- 包み紙 14cm × 16.5cm
- 端紙 9cm × 1.5cm

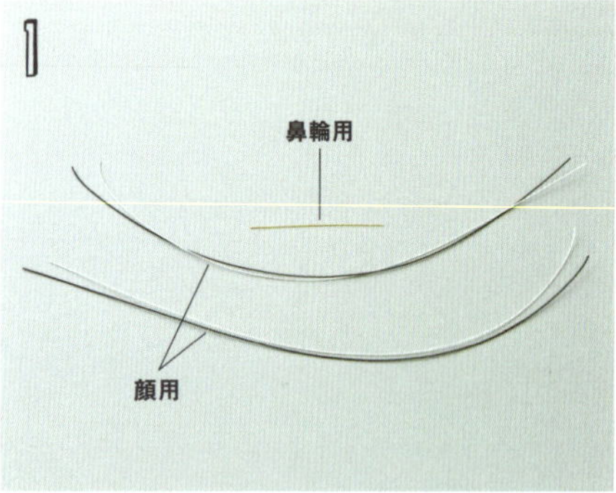

顔用の水引は黒と白の２色セットを２組用意します

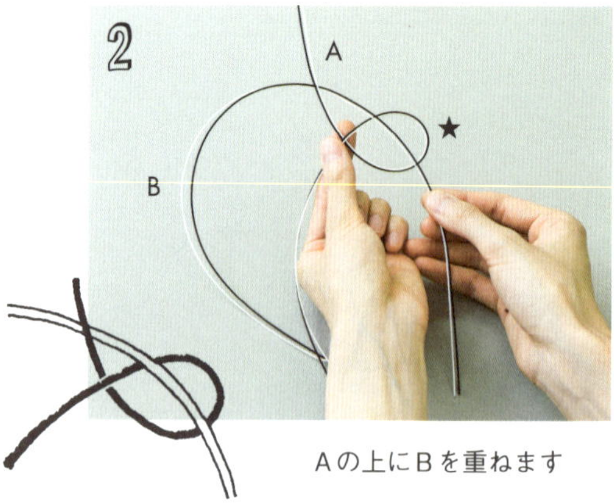

Aの上にBを重ねます

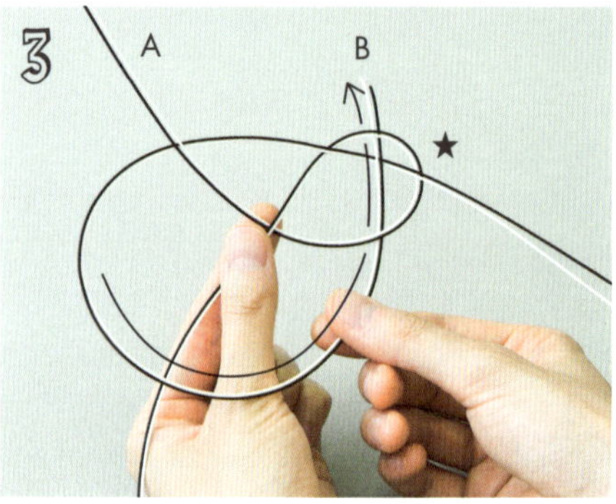

Bを上→下→上→下の順でAに編み込みます

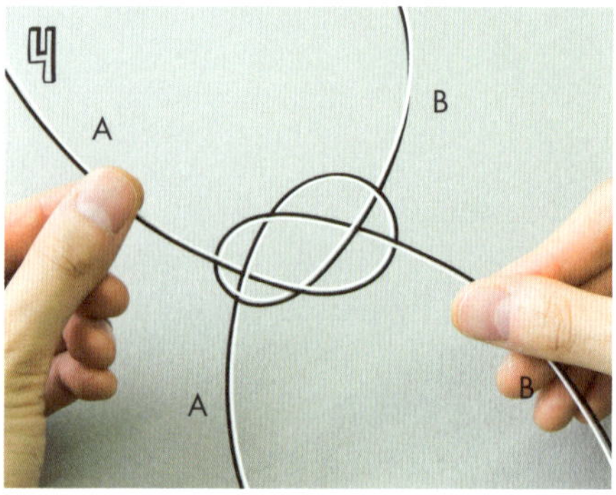

大きさを調整します

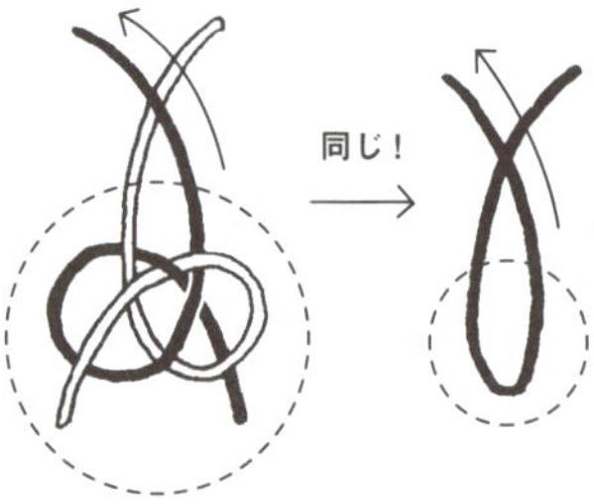

連続であわじ結びをします。イラストの○部分が結ばれています が、この先の結び方はあわじ結びと同じです

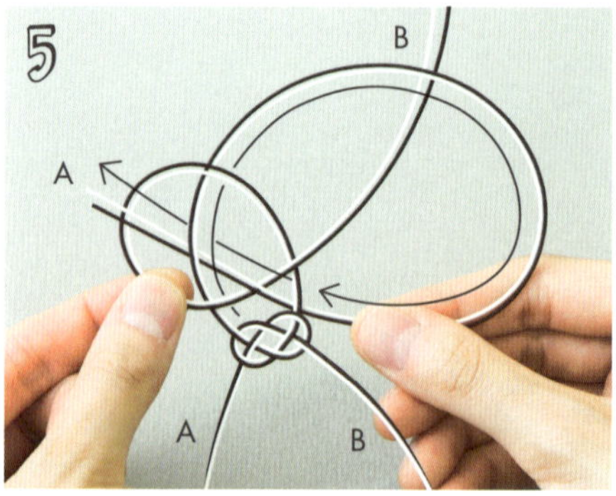

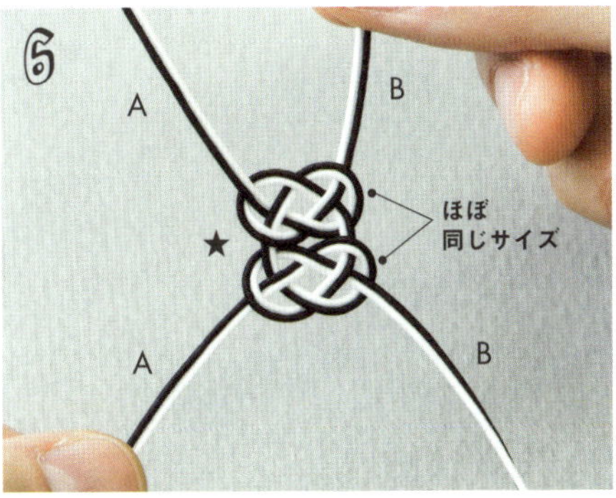

2つの連続したあわじ結びがほぼ同じ大きさになるように形を整えます

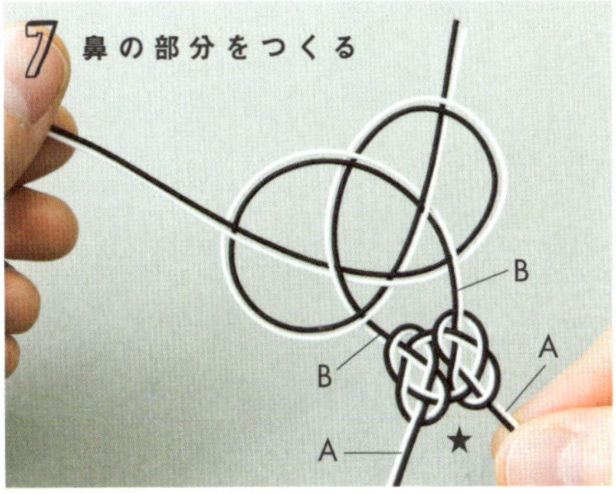

90度反転させて、もう1度あわじ結びをします

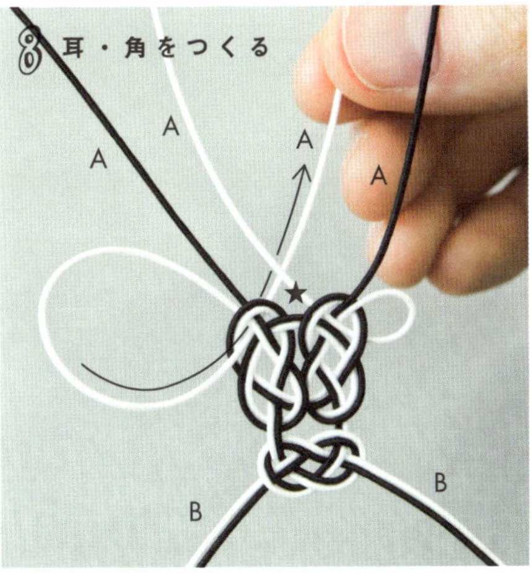

耳と角をつくります

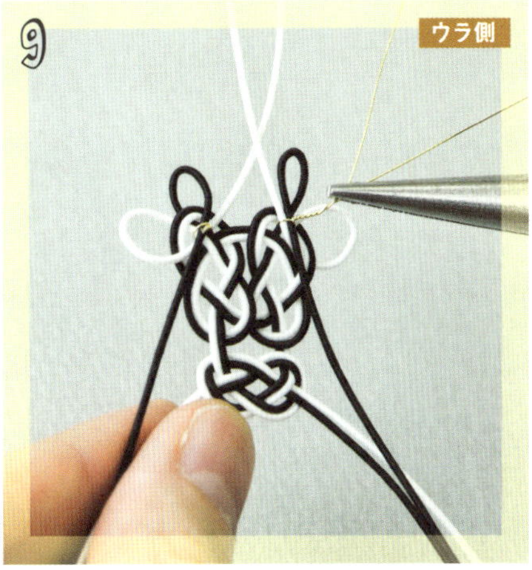

裏側からワイヤーで留めて、適切な長さに水引をカットします

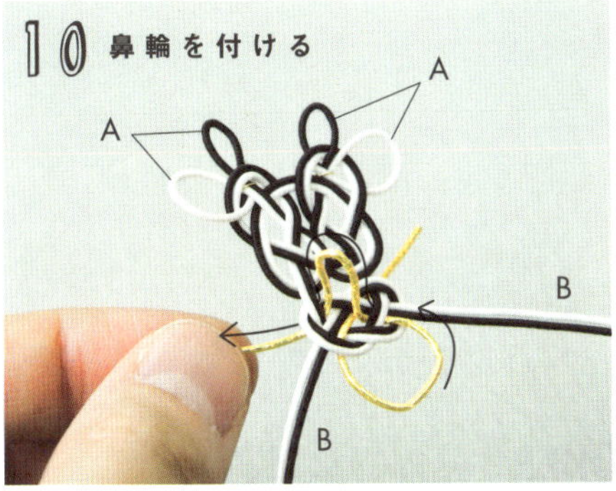

鼻輪を取りつけ、適当な長さにカットします

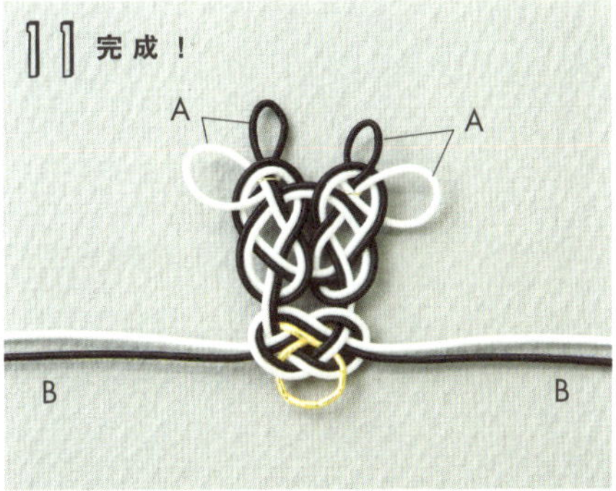

余りの水引はカットせずに、ぽち袋に飾りを付けるための帯として活用します

とら／寅

材料

- 30cm 水引× 2 本（顔用）
- 15cm 水引× 2 本（耳用）
- 10cm 水引× 1 本（鼻用）
- 30cm 水引× 1 本（帯用）
- #30 ワイヤー
- 包み紙 14cm × 16.5cm
- 端紙 9cm × 1.5cm

とらは頭の部分からつくり出すので、モチーフの方向を確認しながら結びましょう

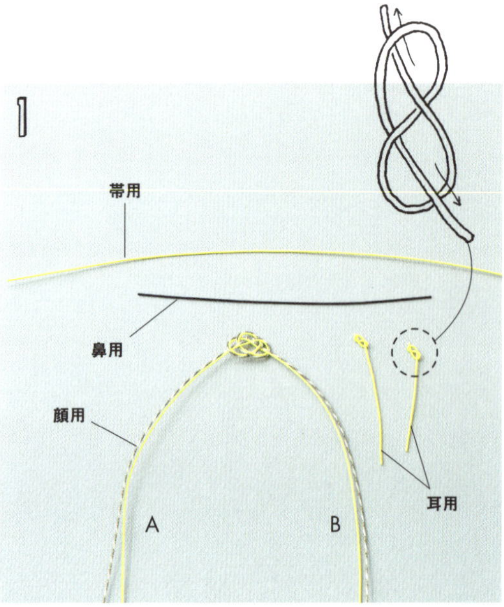

顔用の水引は中央であわじ結び（P.8 参照）、耳用は「&」を書くように結んでパーツを用意します

B をあわじ結びの内側を沿わせるよう、下→上→下に通します

顔パーツの裏側から耳パーツをワイヤーで留め、余分な水引をカットします

結び切り（P.6 参照）で鼻をつくり、帯用の水引を通して完成です

うさぎ／卯

材料
- 60cm 水引× 2 本（顔用）
- 15cm 水引× 1 本（鼻用）
- #30 ワイヤー
- 包み紙 14cm × 16.5cm
- 端紙 9cm × 1.5cm

イタズラ好きなウサギをイメージ。2 本の水引を揃えるのが上手に仕上げるポイントです

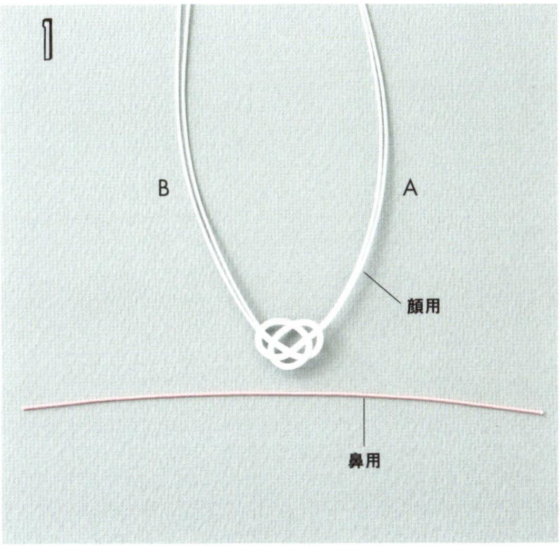

顔用の水引をあわじ結びにして各パーツを用意します

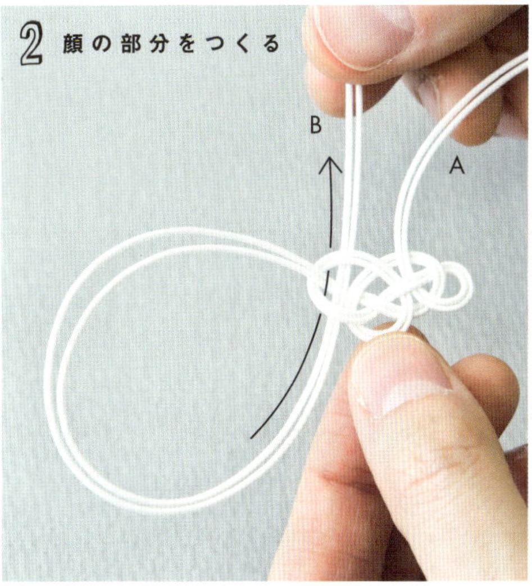

A は上から、B は下からあわじ結びの輪の部分に水引を通します。左右で水引の入り方が異なるので間違えないように注意しましょう

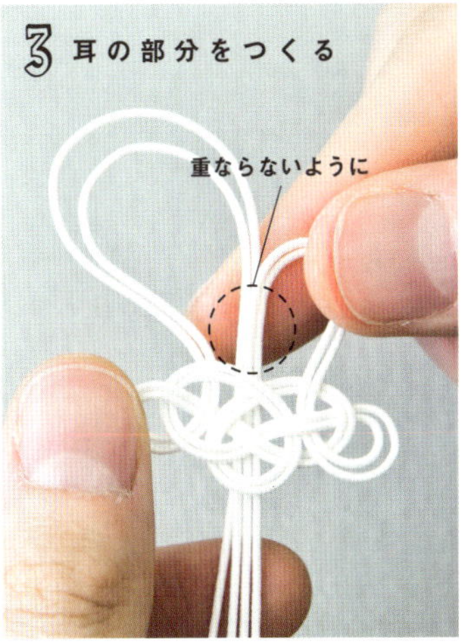

うさぎの耳の形をイメージしながら A・B の水引を形づくります

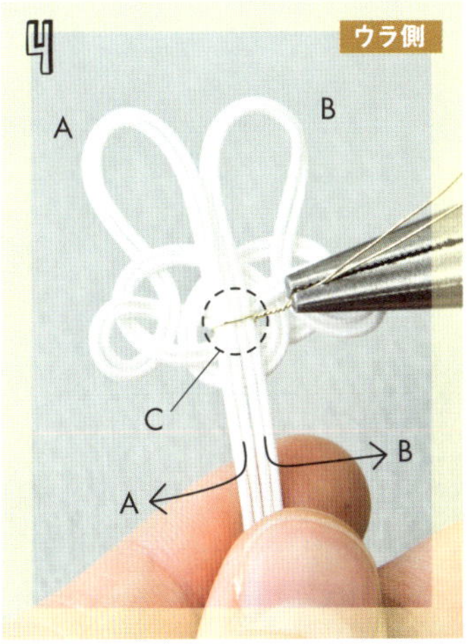

裏側から、C の部分を #30 ワイヤーで固定します。このとき、4 本の水引が重ならず平らになるように留めることがポイント。A・B はワイヤーで留めた根元の部分から左右に曲げて帯にします

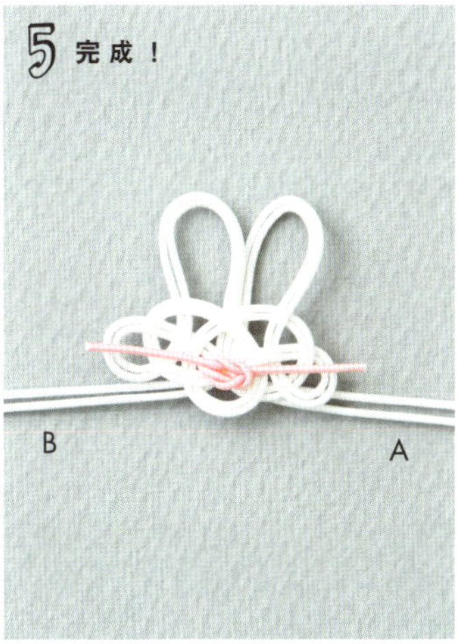

結び切り（P.6 参照）で鼻をつくったら完成です

たつ／辰

チャームポイントの白いヒゲは、ぽち袋のサイズから飛び出るくらい勢いよく、長く！

材料	
	60cm 水引×2本（顔用）
	10cm 水引×2本（角用）
	20cm 水引×1本（ヒゲ用）
	包み紙 14cm × 16.5cm
	端紙 9cm × 1.5cm

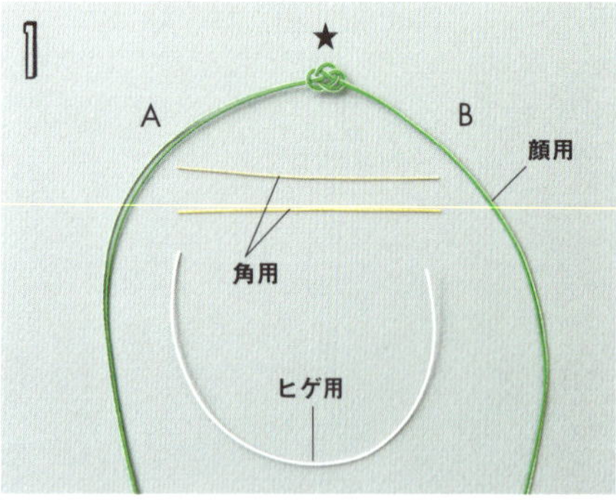

顔用の水引を中央であわじ結び（P.8参照）にして各パーツを用意します

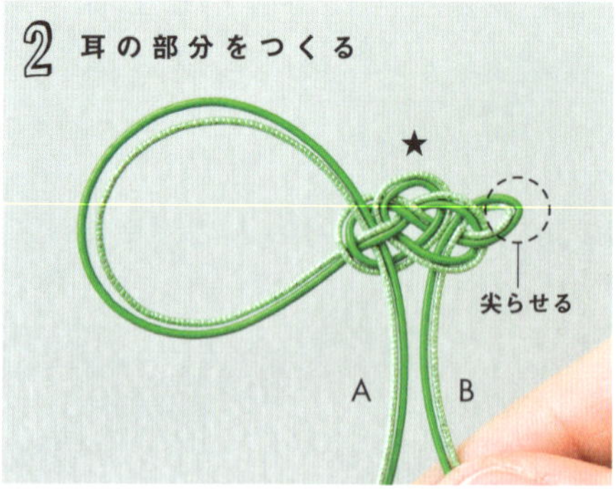

最初につくったあわじ結びの左右の輪に、Aは上から通し、Bは下から通します。A・Bを通してできた輪は、耳をイメージして先端を尖らせます

54

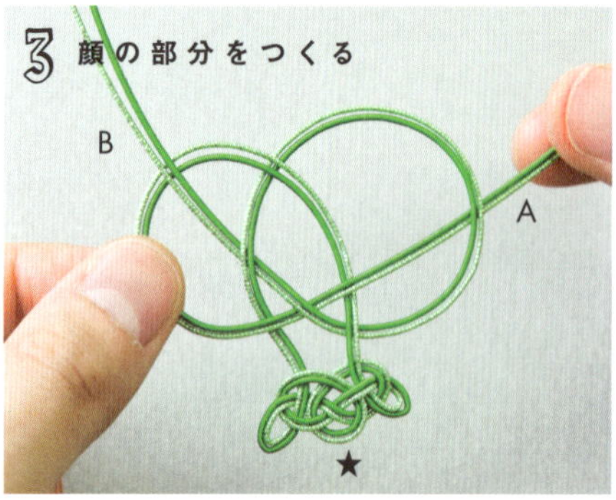

180°反転させ、縦方向にあわじ結びをします

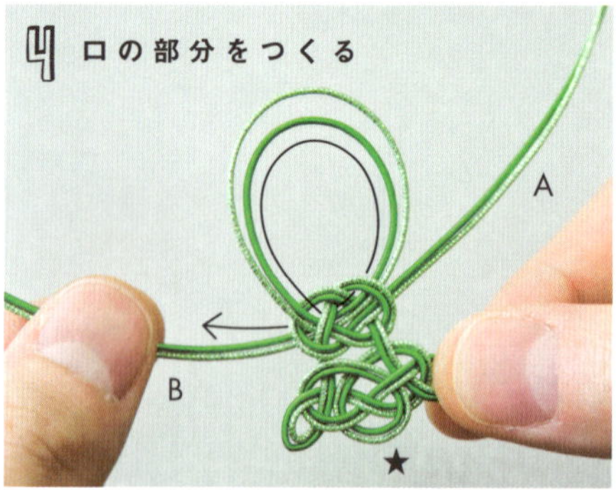

Bのみを3でつくったあわじ結びに通して、口の部分をつくります

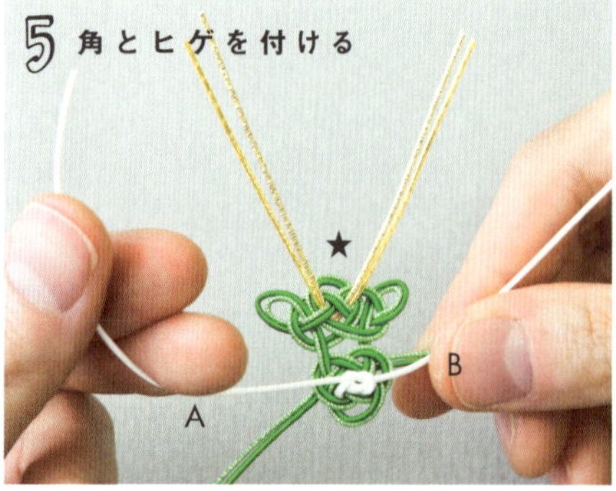

180°反転させて、角とヒゲを付けます。ヒゲは結び切り（P.6参照）した後、左右をよくしごきます。A・Bは帯として使います

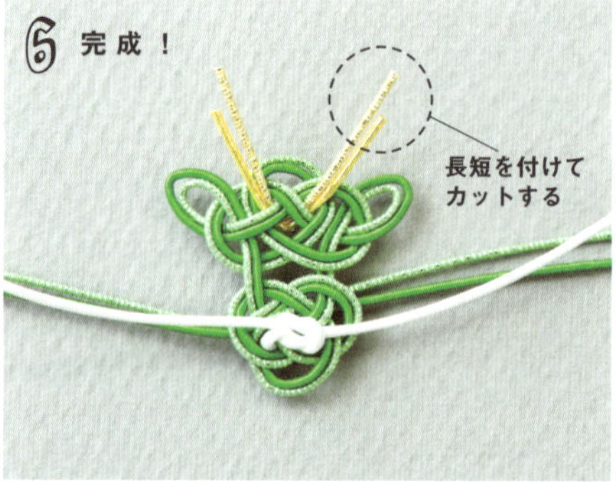

角とヒゲの部分を適当な長さにカットして完成です

へび／巳

材料
60cm 水引× 2 本（身体用）
5cm 水引× 1 本（舌用）
30cm 水引× 1 本（帯用）
#30 ワイヤー
包み紙 14cm × 16.5cm
端紙 9cm × 1.5cm

ペロリと出た舌がポイントです。光沢感のある水引を使うとリアルな質感が演出できます

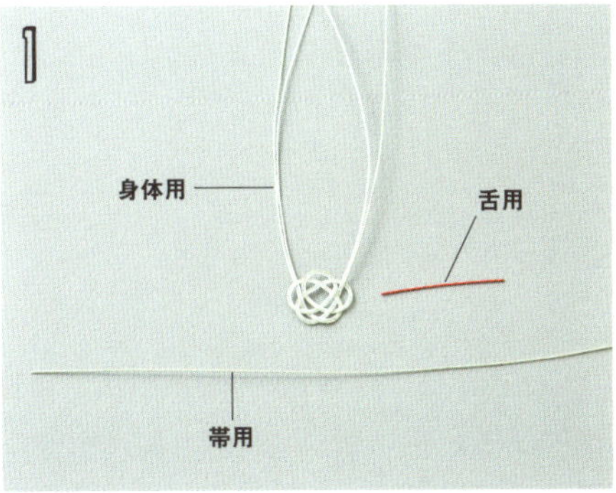

身体用の水引を椿と同じ結び方（P.22参照）にして各パーツを用意します

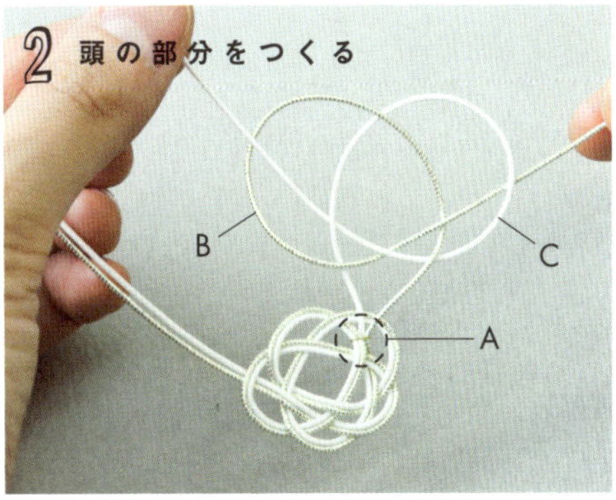

A の部分は裏側からワイヤーで固定し、B・C の水引であわじ結びをします

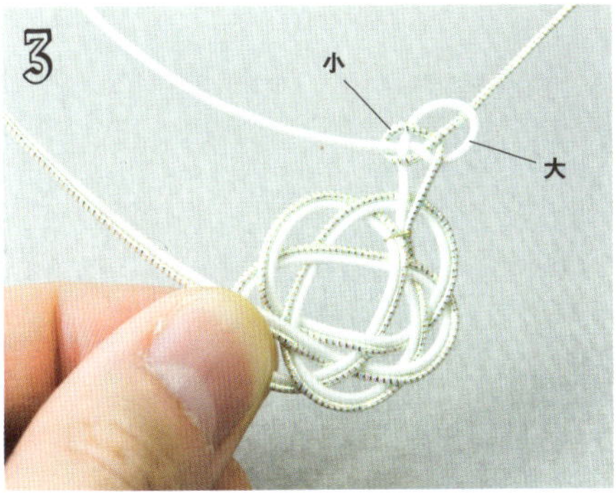

へびの顔の部分をイメージしてあわじ結びの左右に大小をつけます

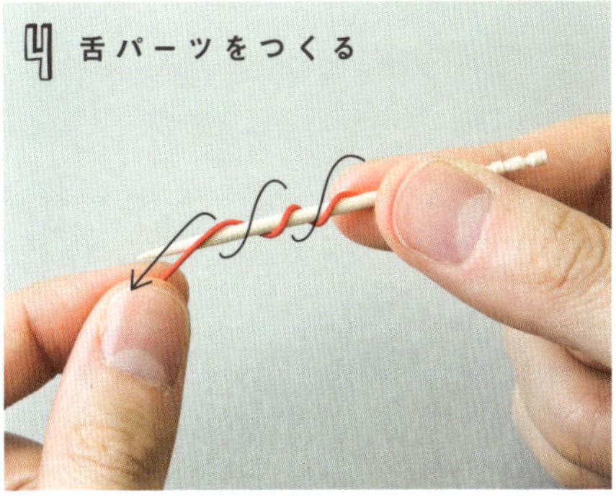

舌用の水引をつまようじに巻いて形をつくります

裏側から #30 ワイヤーで舌パーツを固定し、適当な長さでカットします

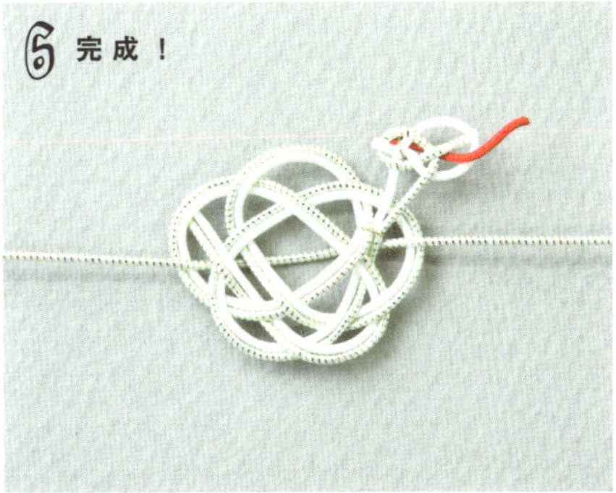

帯用の水引を通して完成です

うま／馬

サラブレッドをイメージした馬。長いタテガミが風を切って走る姿を連想させます

材料	60cm 水引× 1 本（顔用） 10cm 水引× 5 本（タテガミ用） 10cm 水引× 2 本（鼻用） 30cm 水引× 1 本（帯用） #30 ワイヤー 包み紙 14cm × 16.5cm 端紙 9cm × 1.5cm

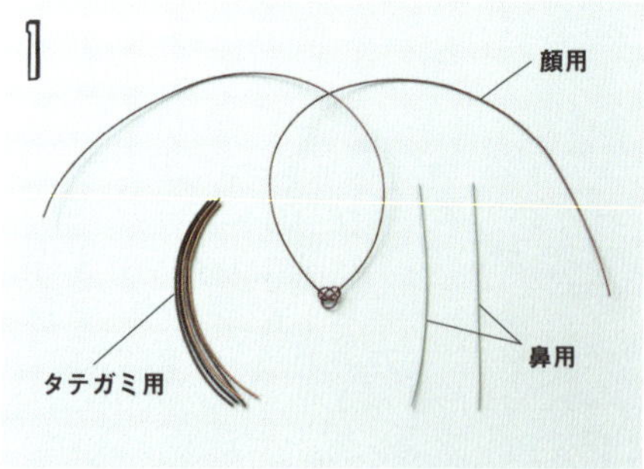

顔用の水引を中央であわじ結び（P.8 参照）にして各パーツを用意します。タテガミ用の水引はよくしごいておきます

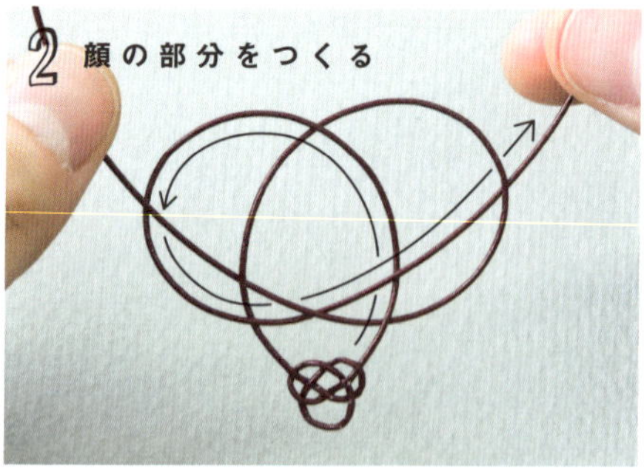

たて方向にあわじ結びを連続させて、顔の部分をつくります

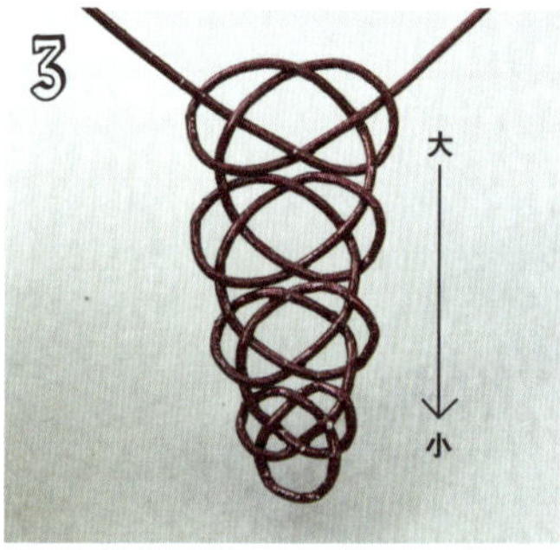

あわじ結びを 4 回繰り返します。あわじ結びをだんだん大きくしていくのがポイントです

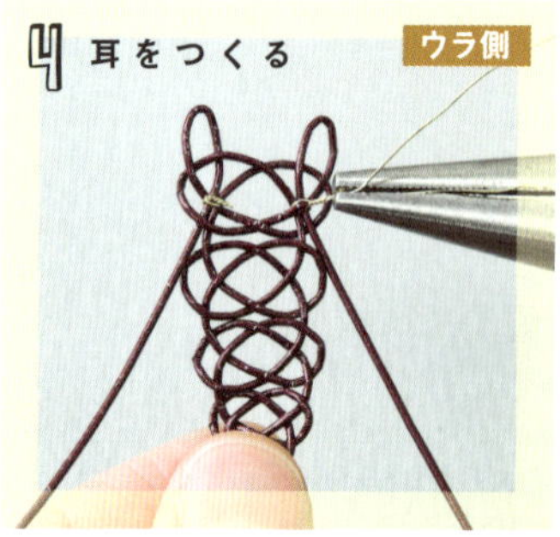

耳をつくって、裏側から #30 ワイヤーで固定します

裏側からタテガミ用水引を 5 本が平らになるように #30 ワイヤーで固定します。タテガミが曲線を描くように、よくしごきます

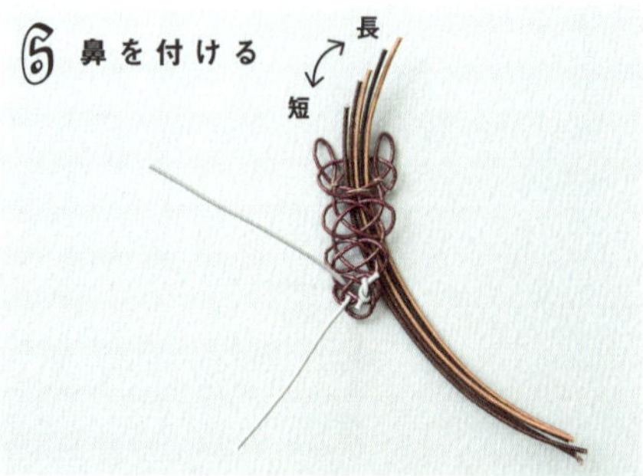

タテガミの形をカットして整え、鼻のパーツをひとつ結び（P.9 参照）で付けます

帯用の水引を通して完成です

ひつじ／羊

モコモコ感たっぷりに
仕上げるために、身体
用の水引はしっかりし
ごいてつくりましょう

材料

60cm 水引× 2 本（身体用）
20cm 水引× 1 本（角用）
10cm 水引× 1 本（鼻用）
30cm 水引× 1 本（帯用）
#30 ワイヤー
包み紙 14cm × 16.5cm
端紙 9cm × 1.5cm

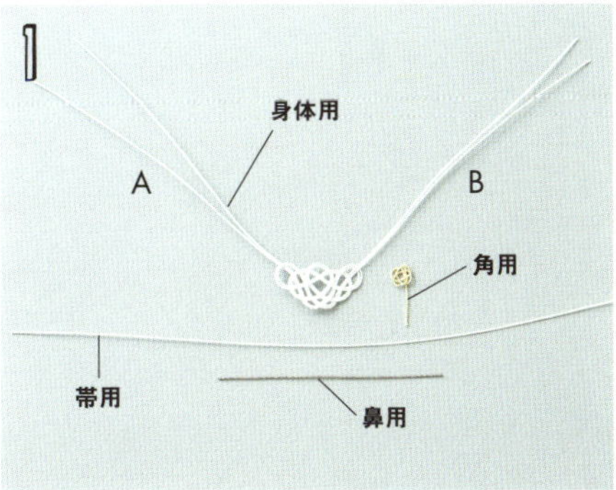

身体用の水引を松結び（P.45 参照）、耳用の水引を菜の花結び（P.9 参照）にして、各パーツを用意します

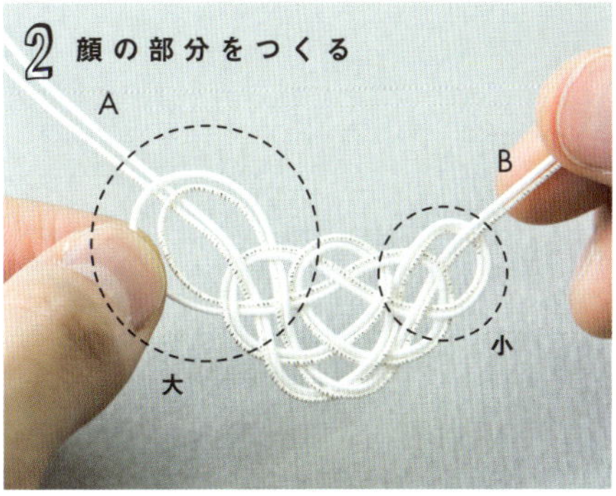

左側の輪を少し大きくして
2 本の水引をずらします

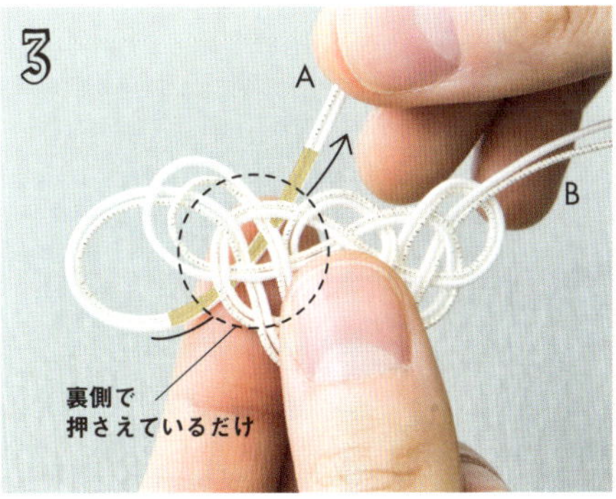

A を写真のように曲げて、裏側で押さえます。このとき、A は裏側で押さえているだけの状態です

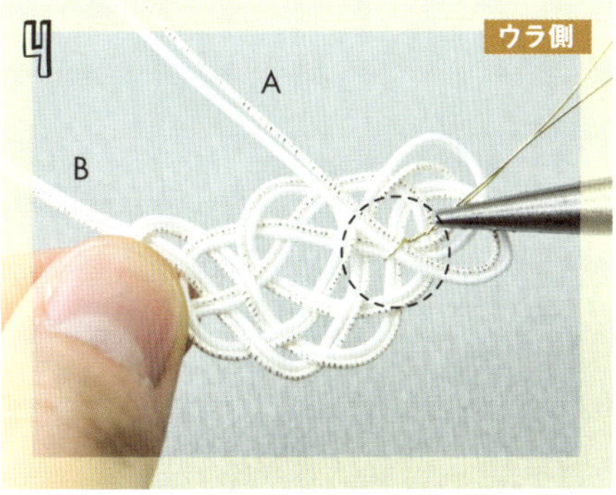

裏側から○の部分を #30
ワイヤーで固定します

角は菜の花結び（P.8 参照）、鼻はひとつ結び(P.9 参照)で表現します。角と鼻のパーツは、裏側からワイヤーで取り付けます

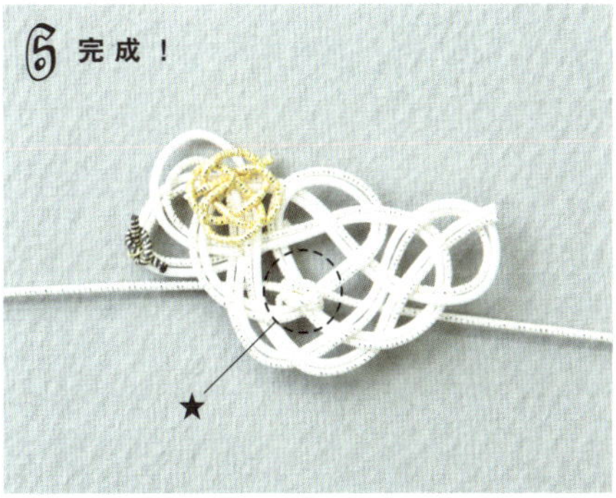

★の位置で帯用の水引を結び切り
（P.6 参照）して留めます

さる／申

さるのモチーフは、孫悟空をイメージして。頭に付けた金の輪がポイントです

材料	60cm 水引×２本（顔用） 20cm 水引×２本（頭の輪用） 30cm 水引×１本（帯用） #30 ワイヤー 包み紙 14cm × 16.5cm 端紙 9cm × 1.5cm

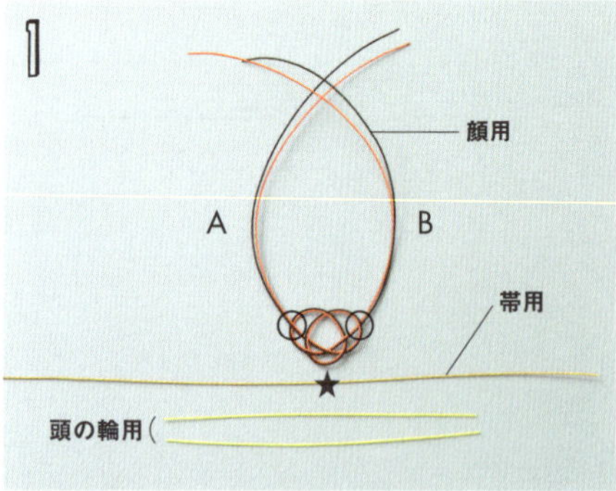

顔用の水引を中央であわじ結び（P.8参照）にして、各パーツを用意します

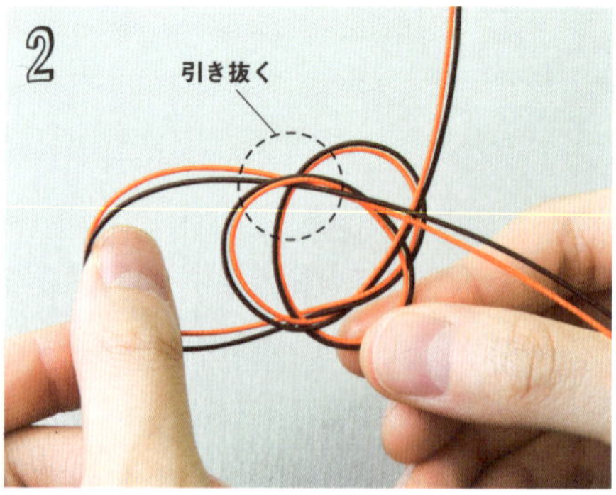

手順１の○部分を抜きます

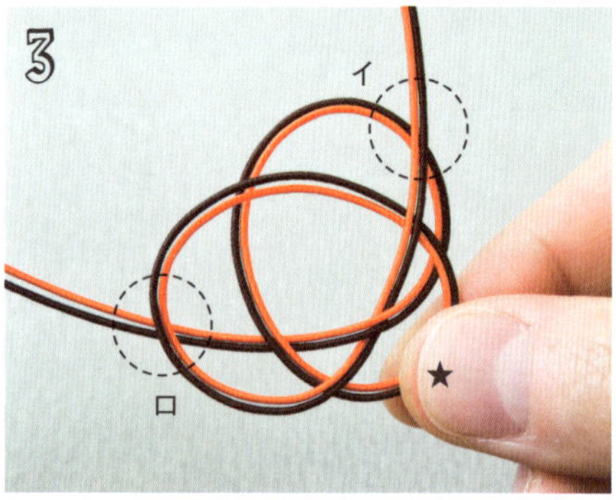

抜いた状態です

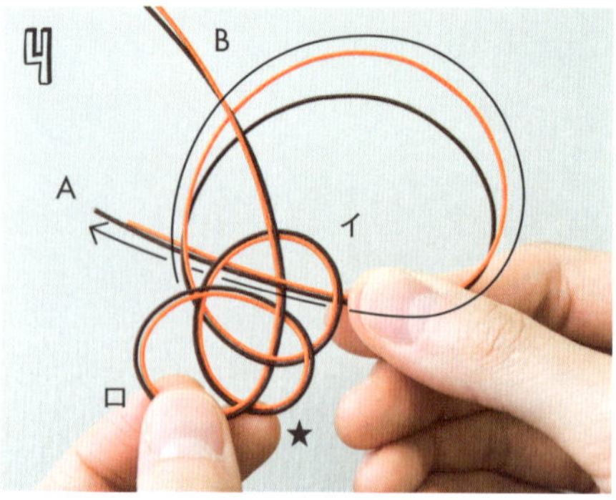

Aをイの下から差し込み、上→下→下の順で編み入れます

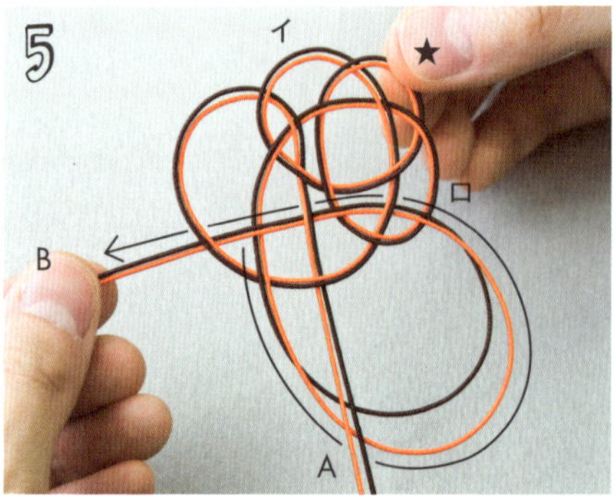

Bをロの上から差し込み、下→上→下→上→下の順で編み入れます

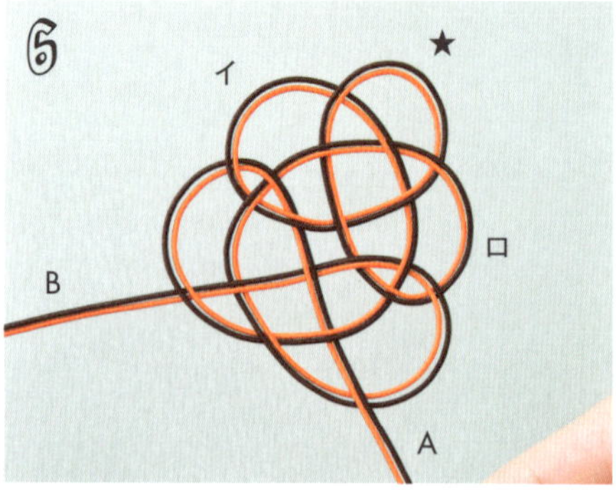

★の部分が耳の部分になることをイメージしながら形を整えていきます

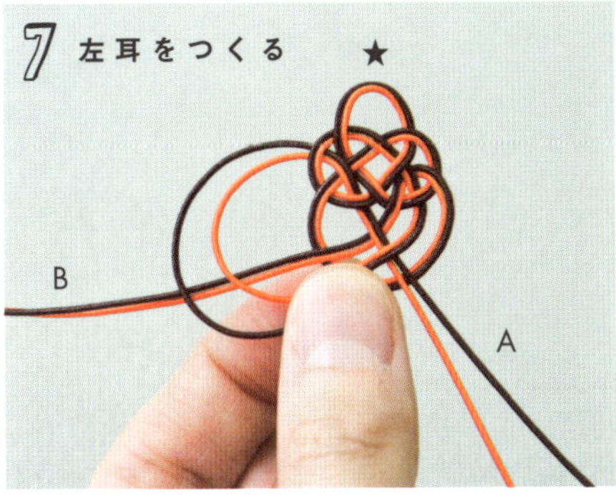

大きさを整えるときは、つくり始めた部分から縮めていくと調整がしやすくなります。左耳になる★の部分は少し大きめに残しましょう

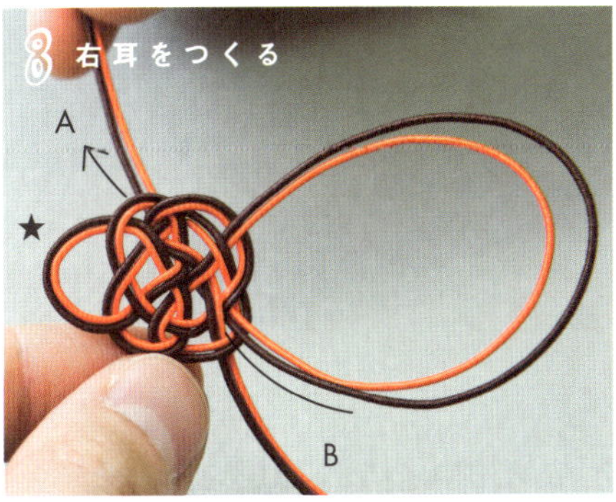

Aを写真のように通し、右側の耳をつくります。左右の耳が同じ大きさになるよう調整します

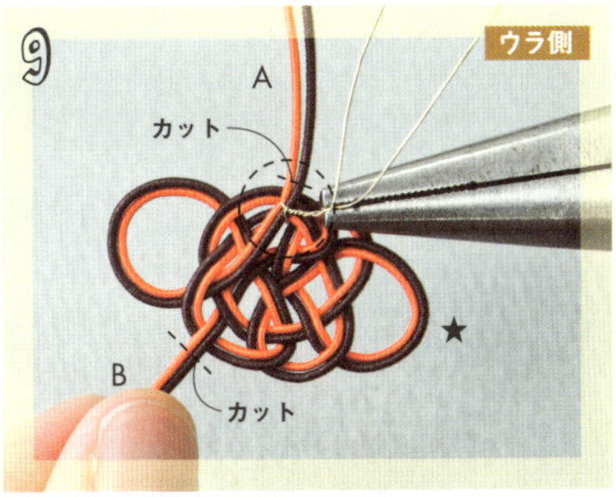

○部分を裏側から#30ワイヤーで固定し、余分な水引をカットします

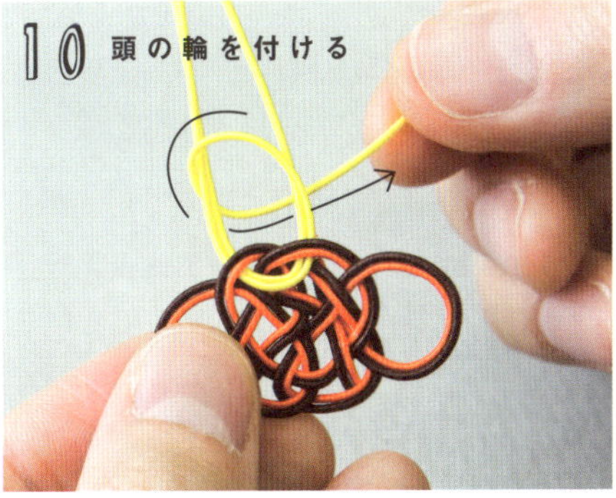

水引を2本取りにして頭の輪をつくります

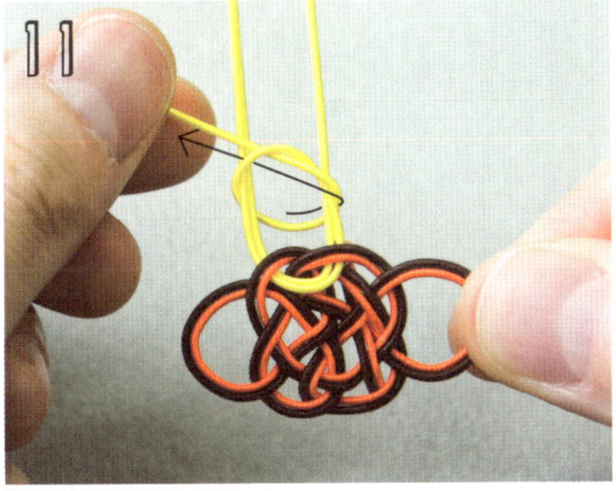

右から左へ頭の輪用の水引を通し、余分な水引をカットします

帯を鼻に見立ててひとつ結び（P.9参照）したら完成です

とり／酉

緑起のいい鶴をイメージしたデザイン。水引の本数を増やしてもステキです

材料
- 60cm 水引×２本（身体用）
- 10cm 水引×２本（首用）
- 30cm 水引×１本（帯用）
- #30 ワイヤー
- 包み紙 14cm × 16.5cm
- 端紙 9cm × 1.5cm

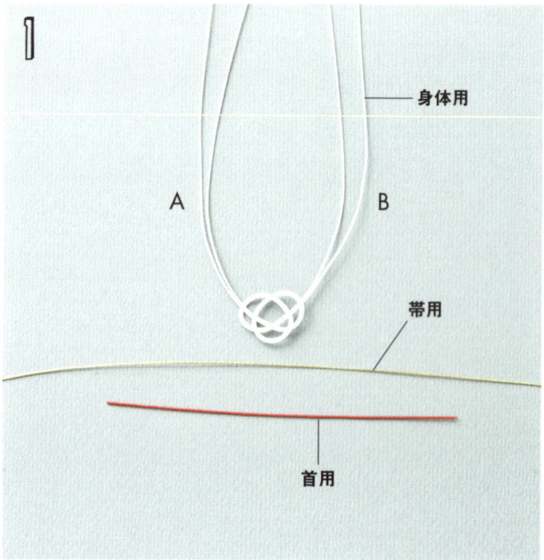

身体用の水引を中央であわじ結び（P.8参照）にして、各パーツを用意します

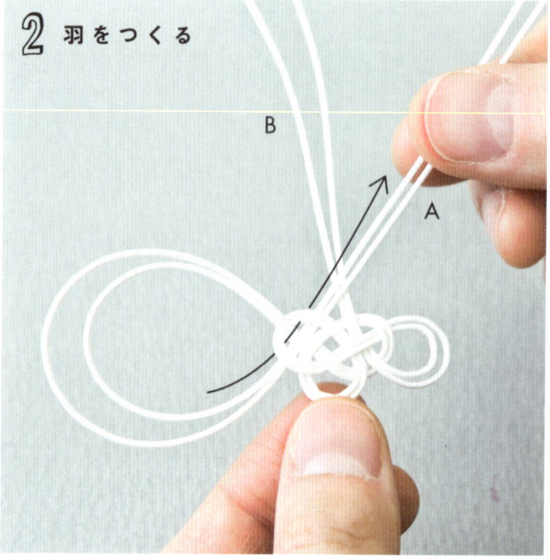

最初につくったあわじ結びの左右の輪にＡを下→上→下の順に、Ｂを上→下→上の順で通して形を整えます

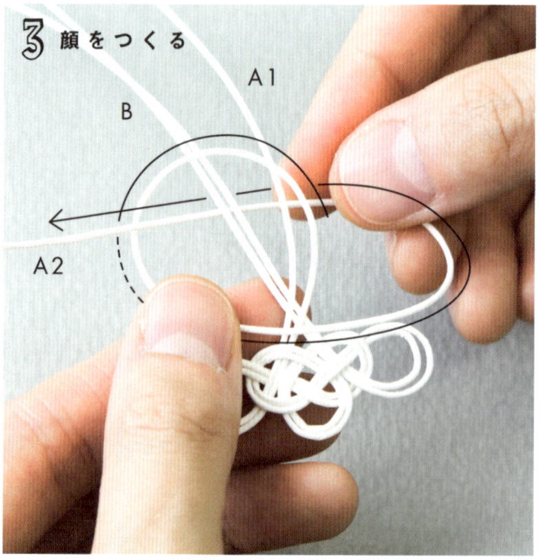

Aの外側１本（＝Ａ２）を右から左へと通します

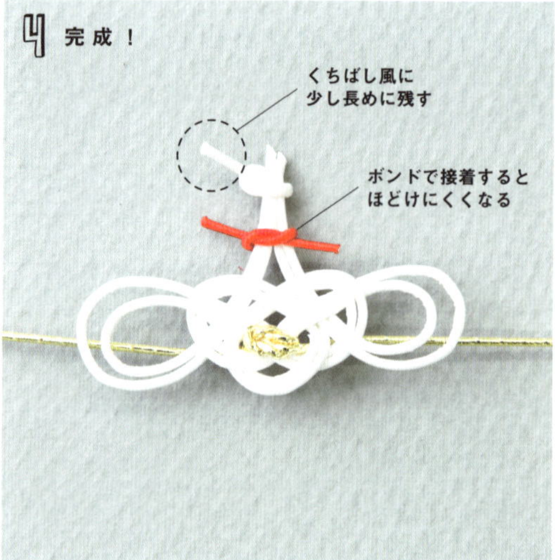

首の部分をひとつ結びして、適当な長さにカットします。帯を結び切り（P.6参照）したら完成です。ひとつ結びをした部分に少しボンドを付けるとほどけにくくなります

いぬ／犬

材料
60cm 水引× 1 本（顔用）
10cm 水引× 2 本（耳用）
10cm 水引× 1 本（ヒゲ用）
30cm 水引× 1 本（帯用）
#30 ワイヤー
包み紙 14cm × 16.5cm
端紙 9cm × 1.5cm

ダックスフントをイメージした犬のモチーフは、季節・年齢を問わず喜ばれます

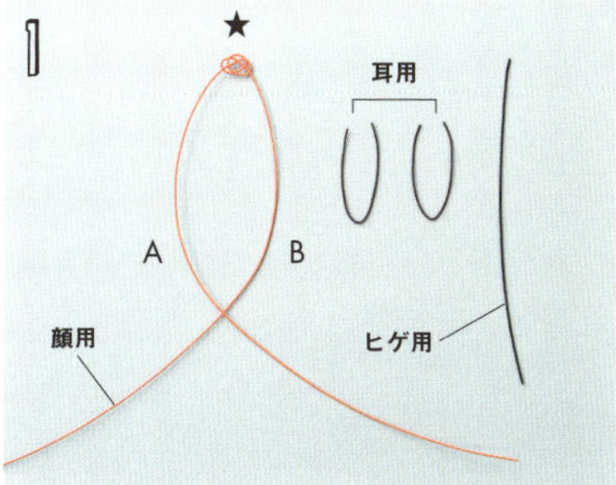

顔用の水引を中央であわじ結び（P.8 参照）にして、耳用の水引は中央で曲げておきます

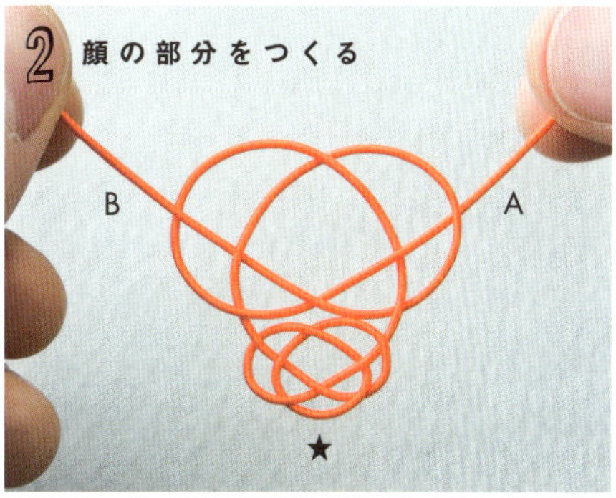

★部分が頭になることをイメージしつつ、あわじ結びを 3 回繰り返します

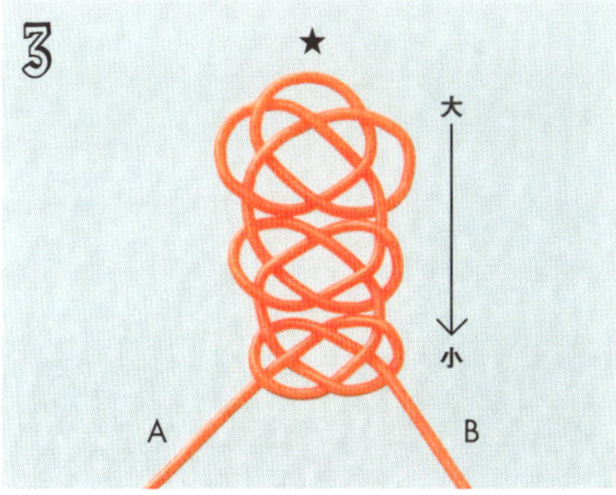

連続したあわじ結びは、徐々に小さくなるように結びます

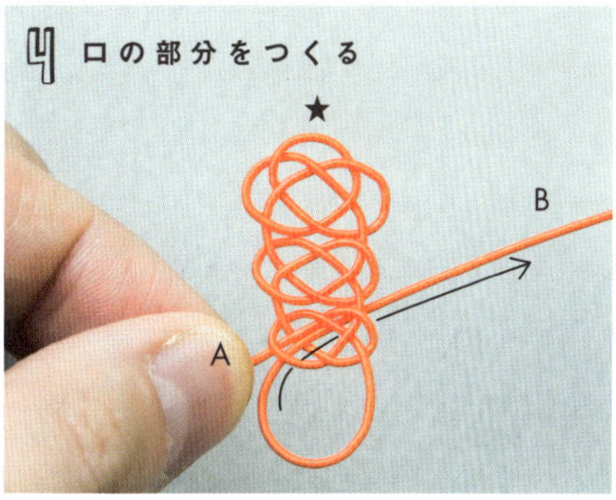

B を下→上→下の順で通して、口の部分をつくります

裏側から耳のパーツを #30 ワイヤーで固定し、余分な水引をカットします

ヒゲの部分を結び切り（P.6 参照）でつくり、帯を通して完成です

いのしし／亥

鼻が特徴的なモチーフ。“猪突猛進”をイメージしながら、勢いのあるイノシシに！

材料

60cm 水引× 2 本（顔用）
10cm 水引× 2 本（耳用）
30cm 水引× 1 本（帯用）
#30 ワイヤー
包み紙 14cm × 16.5cm
端紙 9cm × 1.5cm

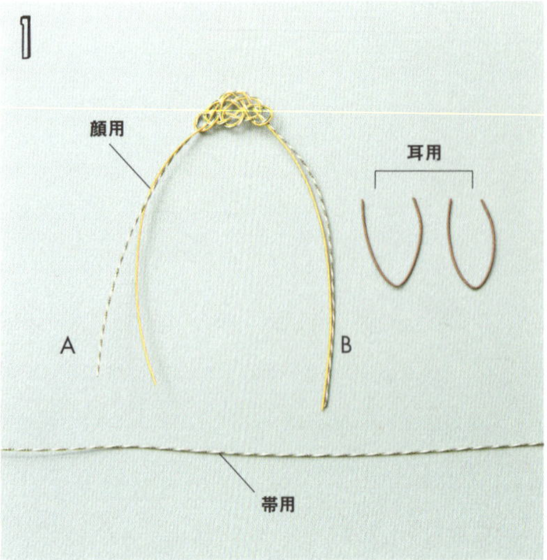

身体用の水引を中心で松結び（P.45 参照）に。
耳用の水引は中央で曲げておきます

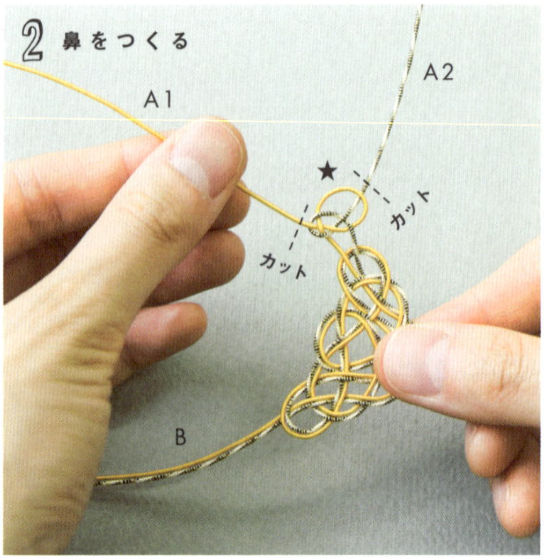

A を 1・2 であわじ結び（P.8 参照）して鼻をつくり、
★部分の形を整えたら余分な水引をカットします

裏側から、耳のパーツを #30 ワイヤー
で固定し、余分な水引をカットします

帯用の水引を通して完成です

column from NIPPON

金封とふくさのマナー

慶事と弔事で扱い方の変わる金封。
大切な人生の節目に贈るものだからこそ、
失礼のないよう、基本的なマナーを知っておきましょう。
ここでは、ご祝儀袋の扱い方を中心に紹介します。

ご祝儀袋の基礎知識

表書き

お祝いごとには、墨の色が濃いものではっきりと書きます

氏名

表書きよりも、やや小さめの文字で差出人の姓名を書きます

※地域、風習、宗教により異なる場合があります

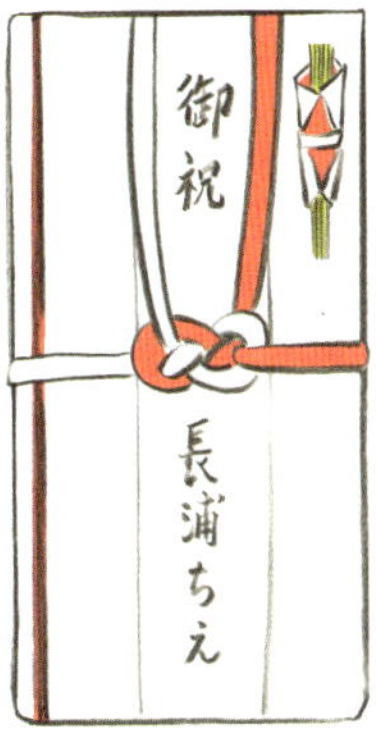

熨斗（のし）

ご祝儀袋には「熨斗」がついた金封を使います

水引

結婚や弔事のような二度あってはならないことには「結び切り」、何度あっても良いお祝いごとは「諸わな結び＝蝶結び」を使用します。「あわじ結び」はどちらの場合も使えます

慶事と弔事の際では金封の扱い方が異なります。例えば、金封の包み紙の重ね方は慶事の場合「喜びを受け止められるよう下から上へ」、また弔事の場合「悲しみを受け流す」ことから上から下へと重ねます。熨斗は仏事の際はつけません。お札は慶事の場合は新しいお札を、弔事の場合は使ったお札を使用しましょう。ふくさの色は、慶事では明るい色を、弔事ではグレーなど地味な色を使用しますが、紫色のふくさは慶弔の両方に使用できるので一つ持っていると便利です。

中袋の折り方と書き方（慶事の場合）

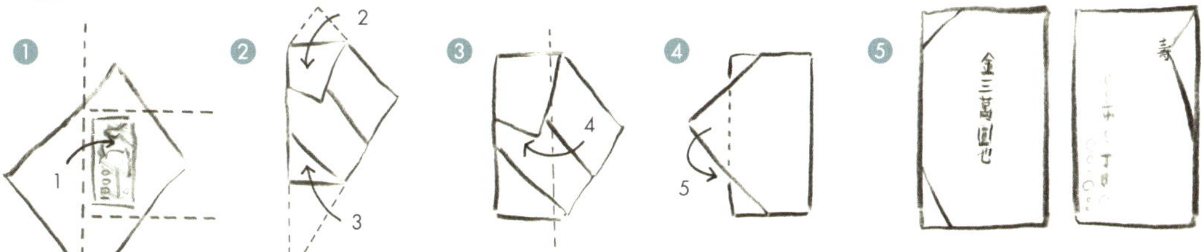

表面中央に金額、裏面左下に住所と氏名を書きます

一	二	三	五	六	七	八	十	千	万	円
壱	弐	参	伍	六	七	八	拾	阡	萬	圓

《 金額を書くときは左図の漢数字を使用しましょう

外包みの折り返し方とふくさの包み方

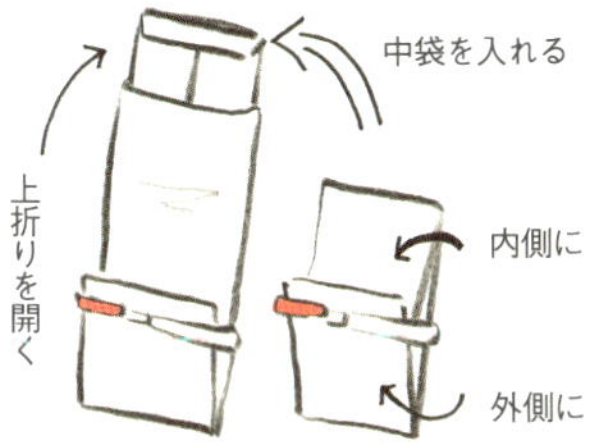

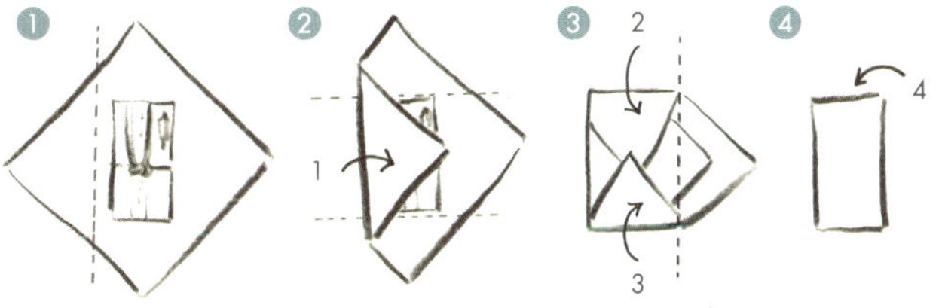

※弔事の場合は、逆向きに包みます

Part

5

集まって楽しむ

手軽にできる水引を使った
カジュアルなテーブルセッティングや
プチギフトのラッピング――
親しい友人と愉しむホームパーティに、
心を込めたおもてなしとサプライズを用意しましょう。

クラフトバンドや水引バンドでつくるグラスマーカー。簡単＆便利なお役立ちアイテムです

≡► つくり方は P.68 へ

つくり方は P.69 へ

つくり方は P.68 へ

大勢のゲストを招く日はグラスマーカーがあると便利。たくさんつくってゲストに好きな色を選んでもらえば、会話も弾みます。お揃いのカラーでカトラリーレストやナプキンリングをつくれば、テーブルも華やかに

水引バンドでテーブルセッティング

**水引バンドやクラフトバンドをくるりと１回結ぶだけ。
長さを変えれば、グラスマーカーやカトラリーレスト、
ナプキンリングにもなる優れモノ。
カンタン便利なアイテムです**

材料
クラフトバンド 24cm（グラスマーカー用）
クラフトバンド 45cm（カトラリーレスト用）
クラフトバンド 30cm（ナプキンリング＆お土産バンド用）

ここでは、水引の「芯＝紙のこより」をイメージしてクラフトバンドを使用しています。ホームセンターなどで購入でき、カラーバリエーションも豊富です。水引で作る場合は、好みの色・本数を重ならないように平らに並べ、木工用ボンドで接着してバンド状にします。水引を使えば、縞模様にするといったアレンジもできます

グラスマーカー

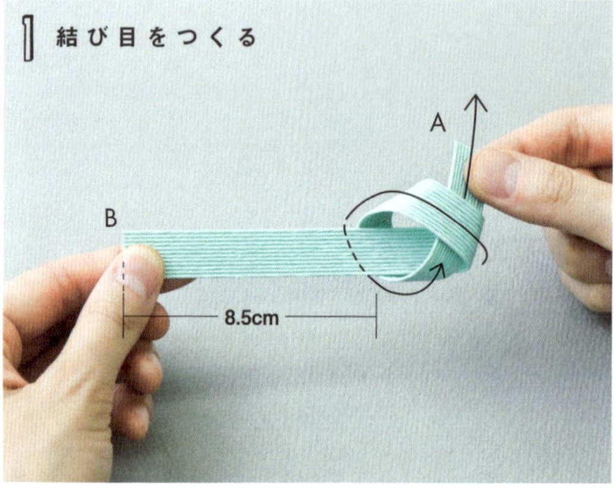

B端から 8.5cmのところで結び目をつくります

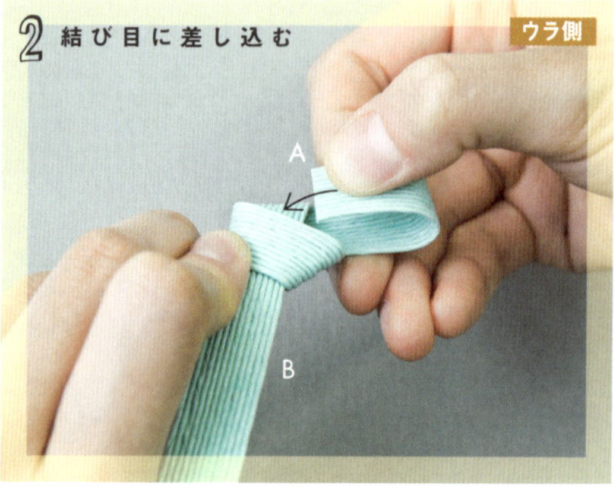

Aを結び目の後ろ側に差し込みます

Bをグラスの脚にまわし、A同様に
結び目に差し込んで完成です

one point advice

ゲストに好みの色を選んでもらうところからパーティはスタート！　ゲストの選んだ色が目印になって、食事や飲み物のサーブもしやすくなります

カトラリーレスト

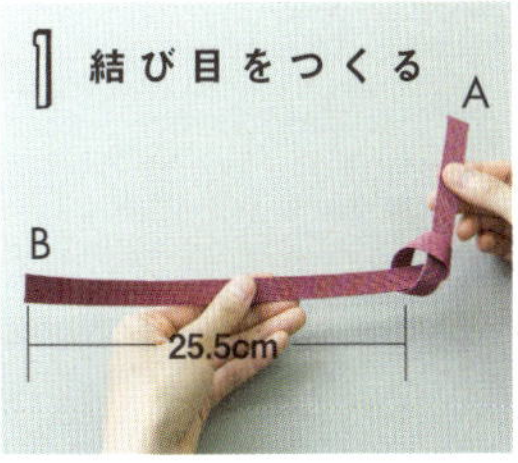

B端から25.5㎝のところで結び目をつくります

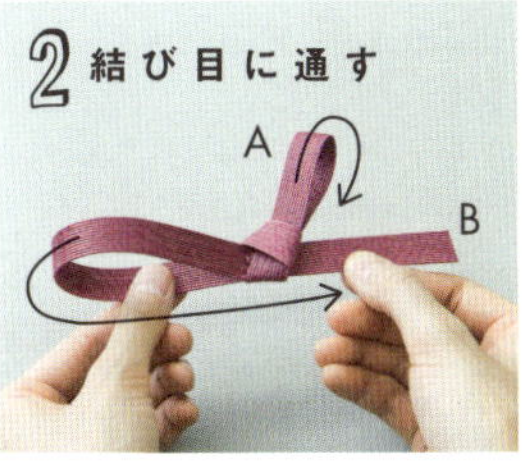

Aを結び目の後ろ側に差し込みます。Aの結び目の後ろ側にBを通し、そのまま引っ張ります

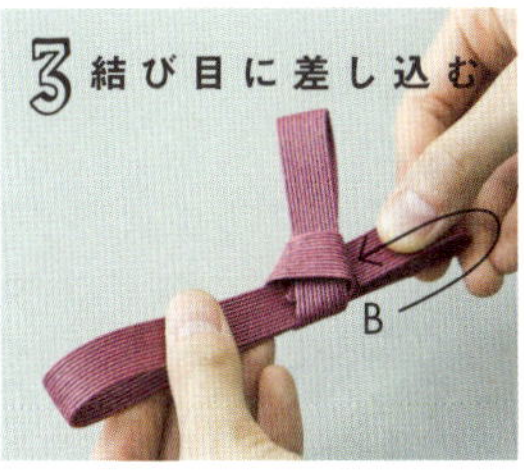

Bを手前に倒し、結び目に差し込みます

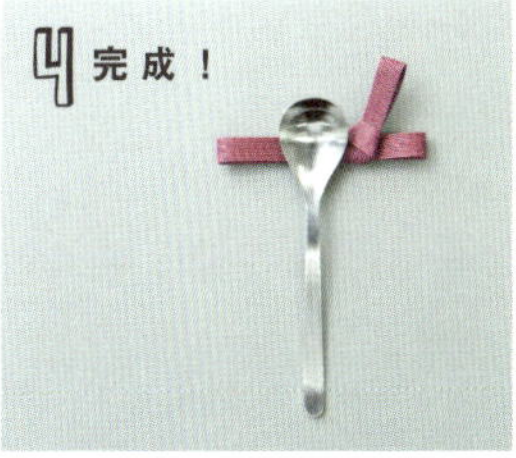

形を整えて完成です。クラフトバンドの長さを変えれば、いろいろなサイズのカトラリーレストがつくれます

one point advice

ナプキンリングは、使い終わったらお土産バンドとしても使えます！

ナプキンリング＆お土産バンド

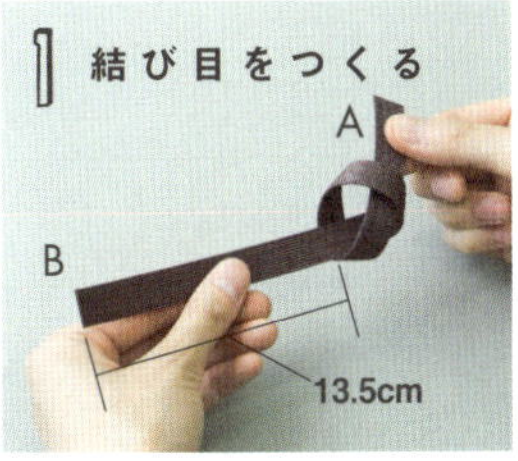

B端から13.5㎝のところで結び目をつくり、Aを結び目の後ろ側に差し込みます

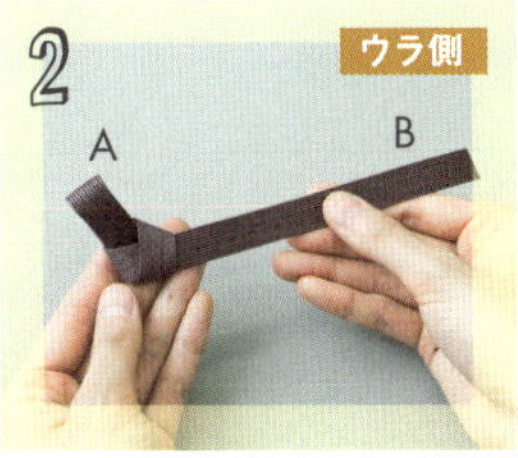

裏側にします

Bをぐるりとナプキンにまわし、結び目に通します

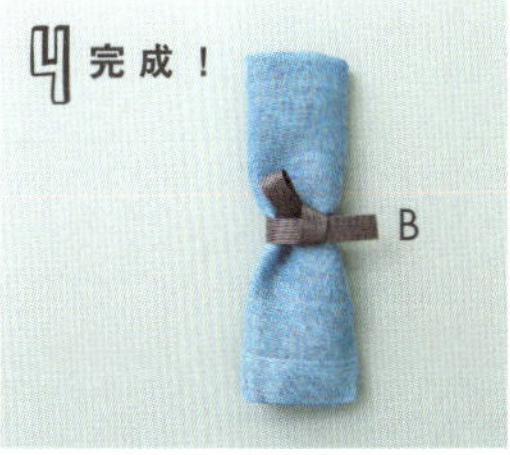

Bを引っ張り完成です。使うナプキンの大きさに合わせて、バンドの長さを調整するのが上手につくるポイントです

ポップなテトラ・ラッピング

材料　水引 45cm × 2 本
好みの封筒

封筒を使ったお手軽テトラ・ラッピング。
カラフルな水引を使って、
おもちゃみたいにキッチュなイメージに仕上げて。
たくさん並べてウェルカムスイーツでゲストをお出迎えしましょう

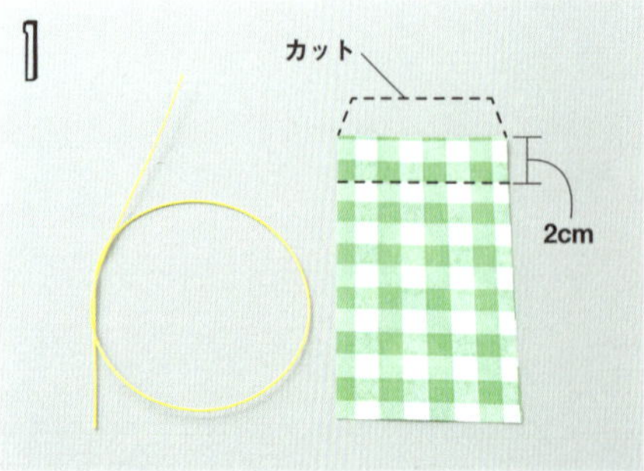

封筒の口の部分をカットしておきましょう

封筒をテトラ形に折り、口の
部分を 2 回折りこみます

折り曲げた封筒の口の部分の
中央をホチキスで留めます

one point advice

透明の袋や好みの絵柄がプリントされた封筒を使ったり、色違いの水引を使ってもかわいく仕上がります。無地の封筒にハンコを押してオリジナルを作っても◎

折り曲げた部分に水引を通します。
水引の先端は揃えておきましょう

封筒との間にすき間ができないように、ひとつ結び（P.9 参照）をします

手順 5 でつくった結び目に
水引を通します

水引の先端は、適度な曲線を描くように再度しごきます。水引を 1 本ずつ引っ張りながらずらし、適当な長さにカットして完成です

キッチンアイテムでお土産ラッピング

**パーティーも終わりに近づいたら、
いつものキッチンアイテムを使って
残ったお菓子をお土産用に
ささっとおしゃれにラッピングしましょう。
基本の結びやご祝儀袋の折り方をベースに
イメージを広げてみて！**

材料
水引 20cm × 1 本
クッキングペーパー（紙ナプキンの幅より少し短く）
カラー輪ゴム
紙ナプキン
コーヒーフィルター 2 ～ 4 人用タイプ× 1 枚
メッセージ用タグ
スタンプ

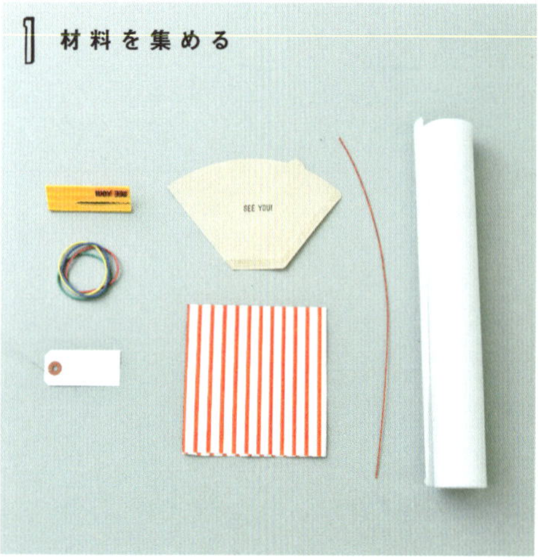

コーヒーフィルターに好みのスタンプを押して、
必要なキッチンアイテムを用意します

包んだときに、クッキングペーパーが
外側になるよう紙ナプキンと重ねます

one point advice

クッキングペーパーのような半透明の紙
で包むのもお勧めです。ミニカードや
シールを添えるとポイントになります

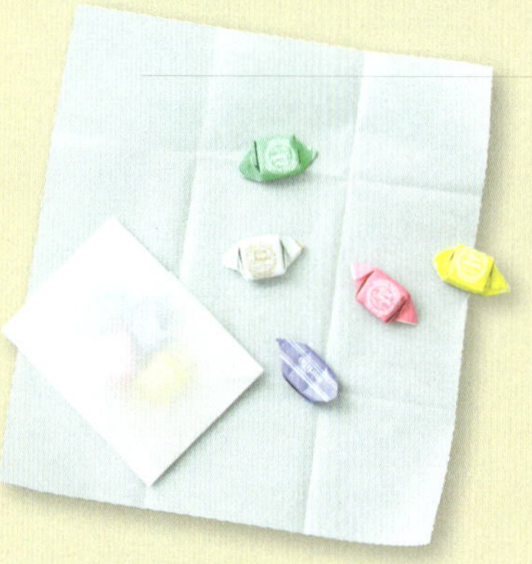

ご祝儀袋と同じ折り方（P.10 参照）で包みます。
水引のかわりに輪ゴムで留めて完成です

4 水引をホチキスで留める

スタンプを押したコーヒーフィルター
に水引をホチキスで留めます

5 完成！

蝶結び（P.6 参照）をして完成です

紅梅とロング熨斗のラッピング

ちょっぴりかしこまった席でも活躍する、
水引の美しさが際立つシンプルなラッピングです。
気持ちを込めて一つひとつ丁寧に結びましょう。
ココロも一緒に包んで、より一層ステキな贈り物となりますように

材料

- 60cm 水引× 2 本（紅梅用）
- 30cm 水引× 3 本（熨斗用）
- 45cm 水引× 1 本（帯用）
- 木箱
- 掛け紙

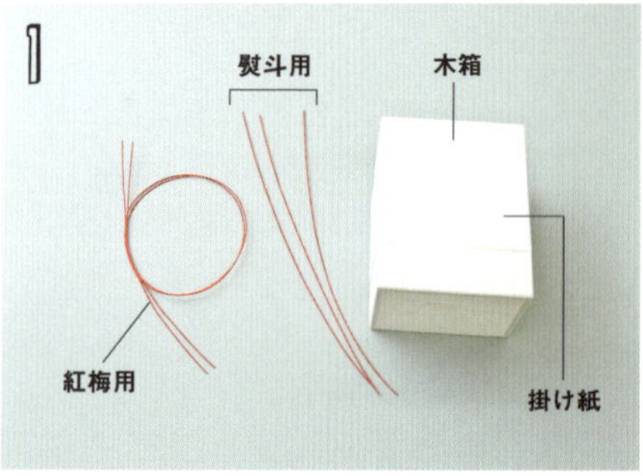

木箱に掛け紙（P.92 参照）を巻きます。帯用の水引や掛け紙のサイズは木箱の大きさに合わせます

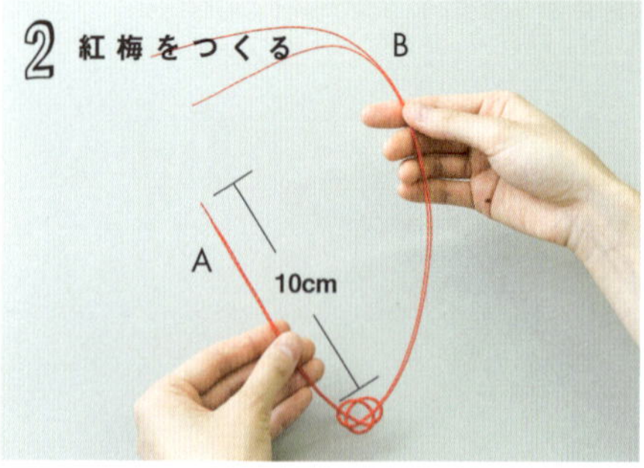

A 側を 10cm程残してあわじ結び（P.8 参照）をつくります

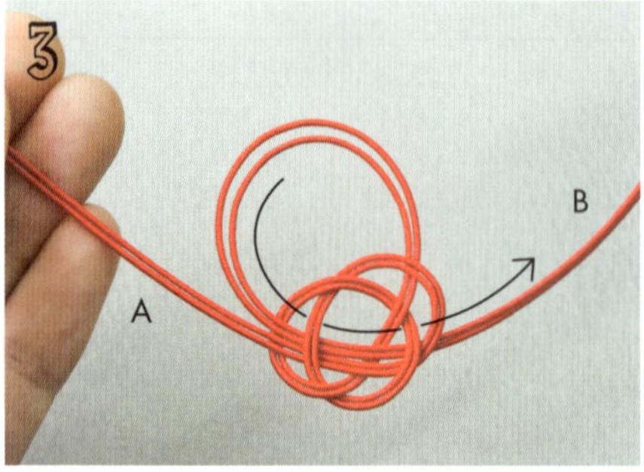

B を手順 2 でつくったあわじ結びの内側に沿わせるように編んでいきます

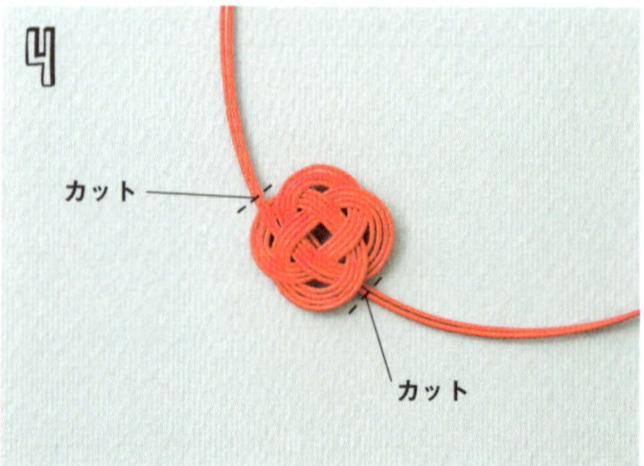

手順 3 と同様に全体が 4 重になるように B を内側に沿わしていきます。余分な水引はカットします

A／熨斗は、長さのバランスや水引をずらす間隔によって表情が変わります。熨斗に存在感を持たせて、メインの飾りをシンプルに仕上げるのもオシャレです

B／結び切り（P.6 参照）とあわじ結び（P.8 参照）のラッピング。結び切りは、色違いの 3 本を使って和モダンに。あわじ結びは、思いっきり小さく結んで水引のラインを強調しました

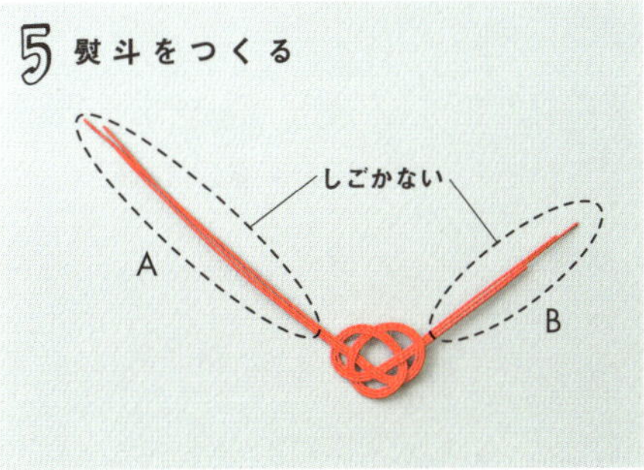

水引の結ぶ部分だけをしごき、A が B より長くなるように、あわじ結びをつくります

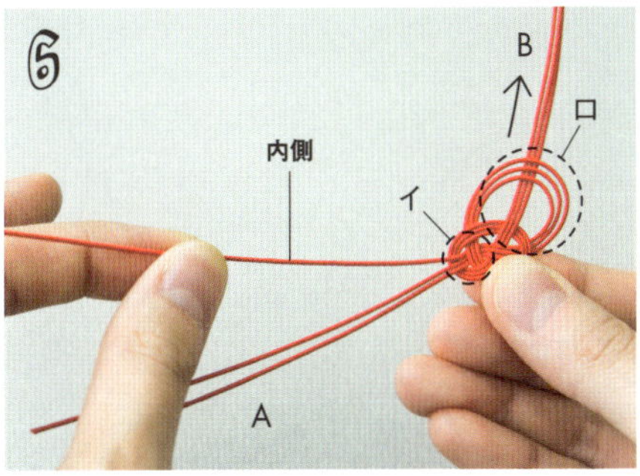

B を外側へ引っ張り、あわじ結びのイ側を小さく形を整えます。A を内側から 1 本ずつ引っ張り、ロ側を少しずつずらします

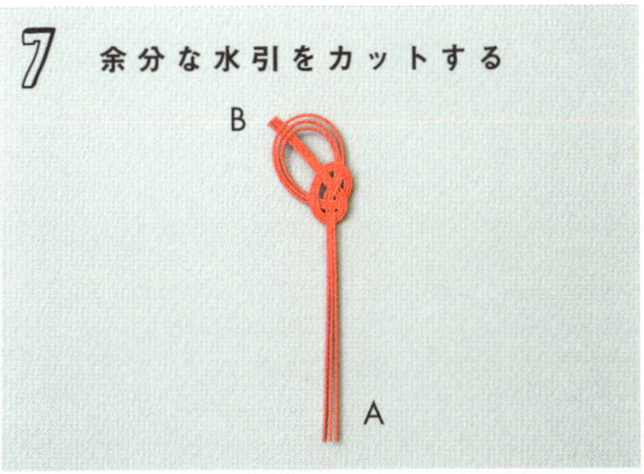

A 側を長く残し、B 側を短くカットします

紅梅パーツに帯を通し、結び切り（P.6 参照）で掛け紙で包んだ木箱に留めます。熨斗を付けて完成です

Column from FUKUOKA

ハレの日の水引

ハレの日と水引は切っても切れない関係です。
自分たちらしいウェディングを考え、
心を込めて準備をしたいと思っている人も多いはず。
水引でつくるウエディング小物をご紹介します。

　結婚式のイメージを膨らませて「和のスタイリッシュな感じ」「ふんわりしたロマンチックな感じ」など、コンセプトや全体のイメージを考えながらメインカラーを決めましょう。ゲストに喜んでいただけるよう、心を込めて準備をする時間も大切なひととき。一生に一度のウエディングを楽しみましょう。

和のウェディング

メインカラーは赤。そして梅のウェルカムボード

ウェルカムボードから席次表、プチギフトまで大小の紅梅で演出。水引をたくさん使った大きな梅の花は和のブーケにも、髪飾りにも◎

鶴のリングピロー

華美すぎず、三方（白木の台）にのせてもしっくりくる鶴のリングピロー。両羽に２人のリングをかけて

洋のウェディング

プリザーブドフラワー×水引の
ケーキ風ウェルカムボード

ケーキの型を使って、あふれ出しそうなほどのプリザーブドフラワーと、ロマンティックカラーの水引で飴細工のようにデコレーション

ジュエリーのような
あわじ結びで
席次表にワンポイント

光沢のある水引で大き目にあわじ結びをつくるだけで、宝石のような印象になります。ゲストの名前を丁寧な手描きの文字でそえると、ちょっとアンティークな雰囲気に

感謝の気持ちを込めて
「Thank You!」の
プチギフト

ゲストに渡すプチギフトも自分たちらしく演出したいもの。使う水引はメインカラーと同じものを選んで

ロマンティックフラワーの
リングピロー

アンティーク調のフラワーリングピロー。編まれた水引はまるで花の器のよう。2人のリングがスタンバイ

純白の水引ブーケと
プリザーブドフラワーで華やかに

凛とした美しさを持つ純白の水引。ざっくりと立体的に編みこむとさらに美しく、大胆で繊細な雰囲気に

このページで紹介している水引アレンジについての問合せ先は TIER〈タイヤー〉まで　http://tiers.jp/

Part

6

お正月を彩る

目指すのはライフスタイルに寄り添ったお正月のカタチ。
インテリアや日々の暮らしに使う器にも、
水引アレンジでお正月らしさをまとわせましょう。
一年の始まりをキチンと整えておくと、
気持ちも清々しく晴れやかに。

つくり方は P.80 へ

モダンお正月飾り

紅白の水引に松葉のグリーンを添えた
シンプルでモダンなお正月飾り。
屋外だけでなく室内のインテリアとして飾るのもおススメ。
部屋がお正月らしく華やぎます

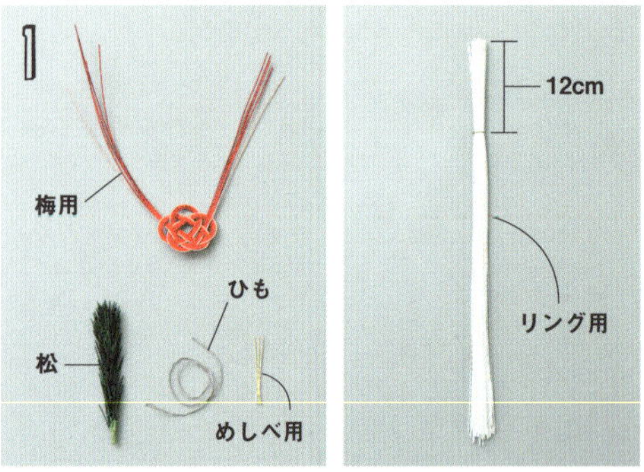

水引５本取りで棒をつくります（P.22 参照）。松はバラバラにならないよう、テープを巻いて処理。リング用の水引は端から 12cm のところで #24 ワイヤーで固定し、束にしておきましょう

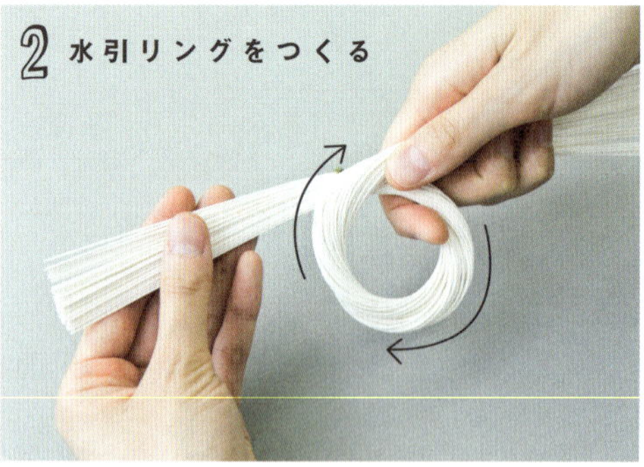

水引をねじりながらリングをつくります

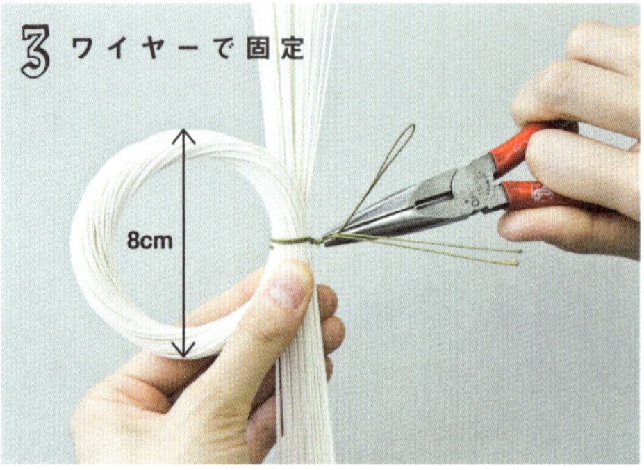

正円をイメージしながら #24 ワイヤーですき間なくしっかりと固定してリング状にします。ワイヤーは２重にしておくと安心です

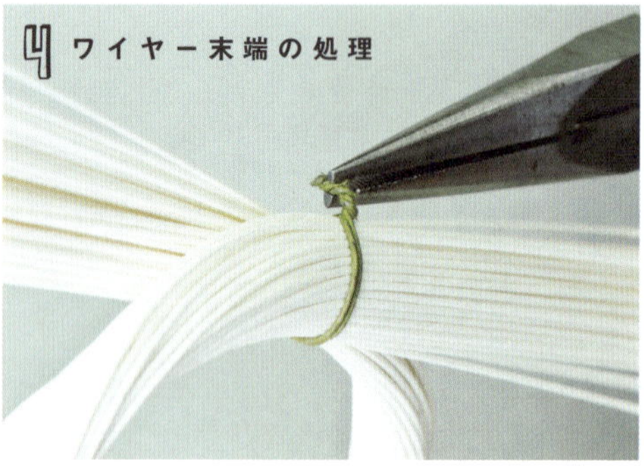

短くカットしたワイヤーは必ず倒します

水引の束をラジオペンチで挟みつぶします。つぶすことで平らになり、水引がボリュームアップして見えます。また、手順４で倒したワイヤーの処理としても有効です

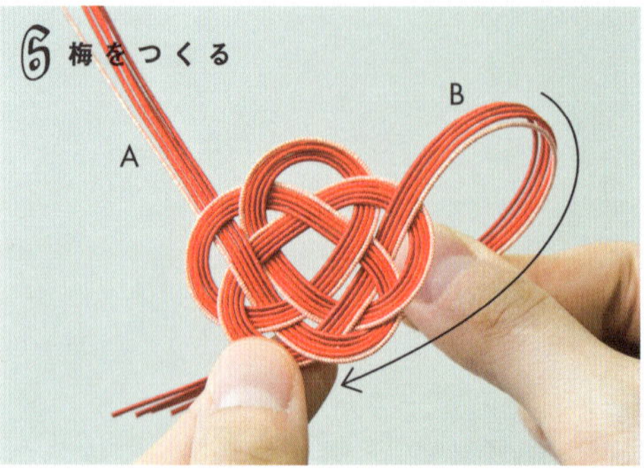

B を裏側にまわします

材料
- 45cm 水引× 70 本（水引リング用）
- 60cm 水引× 5 本（梅用）
- 5cm 水引× 3 本（めしべ用）
- 松葉
- 好みのひも（つり下げ用）
- #24 ワイヤー
- #30 ワイヤー

A も同様に裏側にまわし、A と B を交差させて #30 ワイヤーで固定します

めしべ用の水引をイから通し、ホットボンドで固定します。固定した後、めしべ用の水引は適当な長さにカットします

松をホットボンドで水引リングに固定し、つり糸を付けます。それでもぐらぐらするときは、水引リングと松を #24 ワイヤーで留めると安定します

梅のパーツをリング上部の中央にホットボンドで固定します

全体のバランスを見て水引リングの左右の長さを揃えて完成です

one point advice

梅のモチーフと水引リングの紅白を反転させて、対で飾ってもステキです。水引リングのサイズもお好みの大きさで作ってみてください

お屠蘇飾りと鶴のはし袋

シンプルでかわいい鶴のモチーフでお正月セットを揃えて
一年の始まりを過ごしませんか。
いつものガラスの器も水引をまとって、
和のスタイルに変身です

鶴と稲穂と松葉のボトル飾り

材料
45cm 水引× 1 本（鶴用）
30cm 水引× 1 本（帯用）
紙（白）6cm × 7cm
紙（赤）5.5cm × 6.5cm
松葉
稲穂

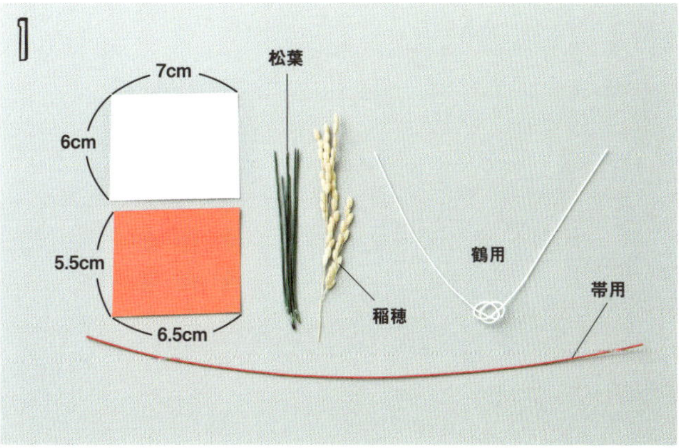

鶴用の水引をあわじ結び（P.8 参照）にしてパーツを揃えます

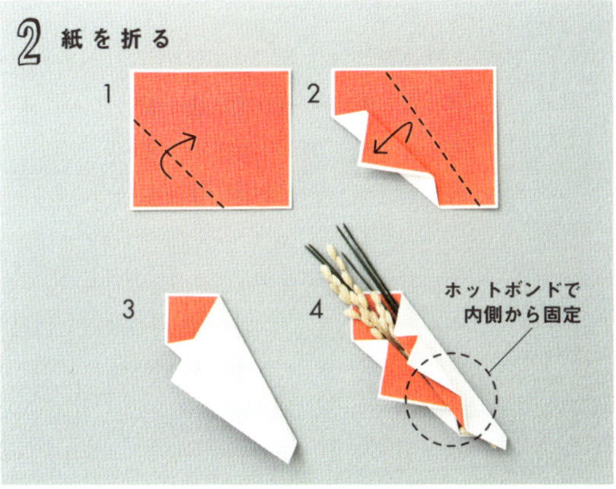

紙を貼り合わせ、1 ～ 4 の手順で紙を折ります。稲穂と松葉は取れないようにホットボンドで内側から固定します

水引 1 本取りでミニ鶴をつくり（P.60 参照）、結び切り（P.6 参照）で帯を付けます

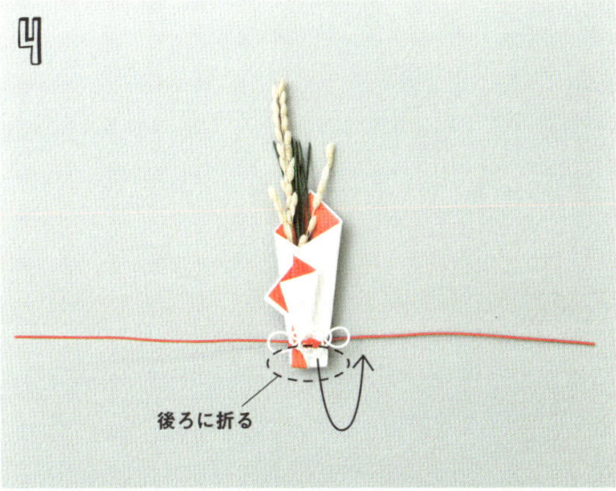

紙の下側を少し折り曲げます。裏側から鶴パーツの帯で結び切り（P.6 参照）をして留めます

帯でボトルに飾りをセットしたら完成です。ボトルの大きさや形によって、好みの場所に取り付けて下さい

鶴とリボンのお屠蘇飾り

材料
60cm 水引× 3 本（鶴用）
60cm 水引× 3 本（リボン用）
30cm 水引× 1 本（帯用）
#30 ワイヤー

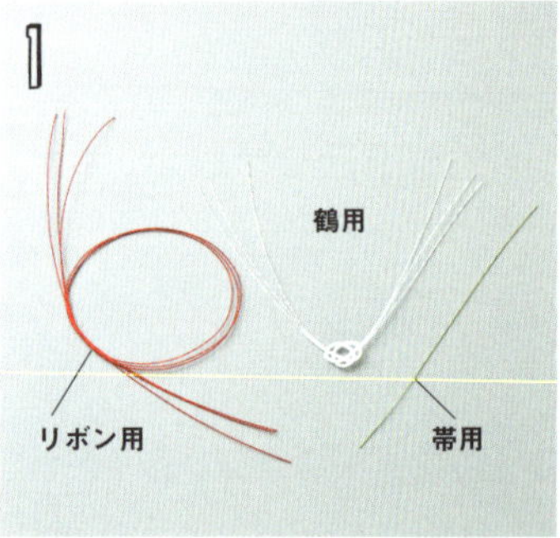

鶴用の水引をあわじ結び（P.8 参照）にしてパーツを揃えます

水引 3 本取りで鶴をつくります（P.60 参照）

3 本取りの水引でリボンの形をつくります

#30 ワイヤーを水引が動くくらいに軽めに留めて、3 本の水引が平らに揃うように整えます

○の 4 箇所に、裏側からマスキングテープを貼ります。木工用ボンドを薄く塗り、3 本の水引を平らに固定します

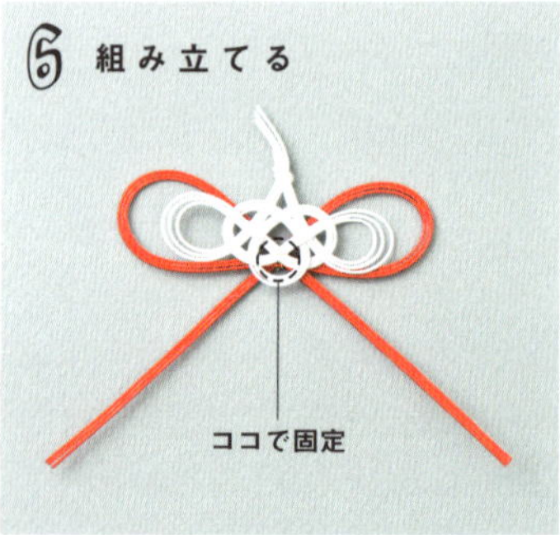

鶴とリボンを重ね、ホットボンドで仮止めした後、#30 ワイヤーで固定します

ワイヤーで固定した部分が隠れるように、結び切り（P.6 参照）で帯を留めます

余りの帯でお屠蘇を入れた器やデキャンタにセットして完成です

one point advice

左右対称を心がけて！シンプルな飾りなだけに、どちらかの輪が小さかったり、傾いていたりすると目立つので注意してくださいね

鶴のはし袋

材料

45cm 水引× 1 本（鶴用）
30cm 水引× 1 本（帯用）
包み紙 31cm × 11.5cm
中紙 23cm × 3.7cm
#30 ワイヤー

one point advice

鶴のモチーフで揃えているので、色違いでも統一感があります。家族の好きな色でつくったり、カラフルな紙の組み合わせにするのもおススメです

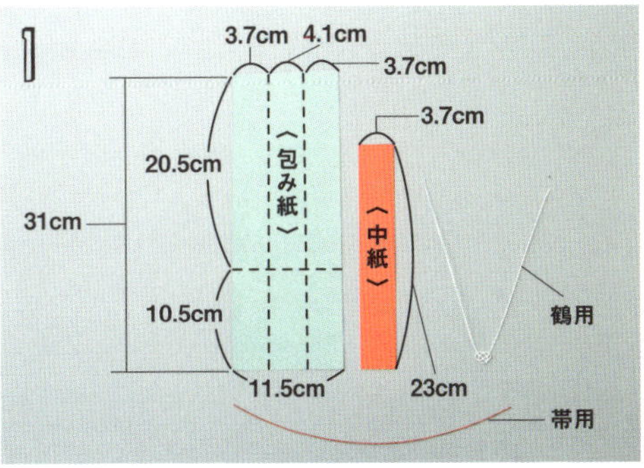

鶴用の水引をあわじ結び（P.8 参照）にしてパーツを揃えます

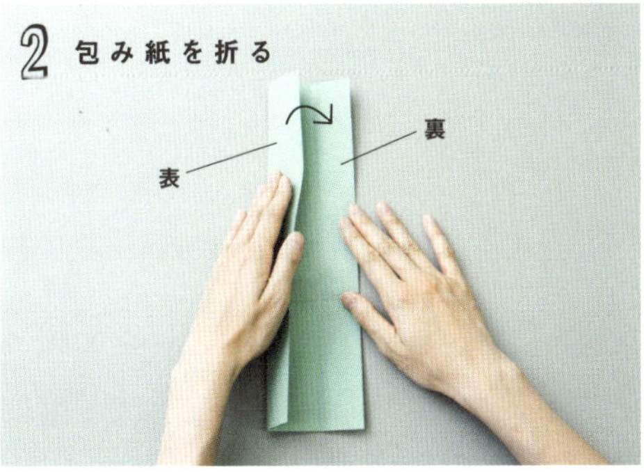

折り線に沿って包み紙を折ります。右が上になるように重ねます

折り線に沿って、包み紙の下部を裏側に折り込みます

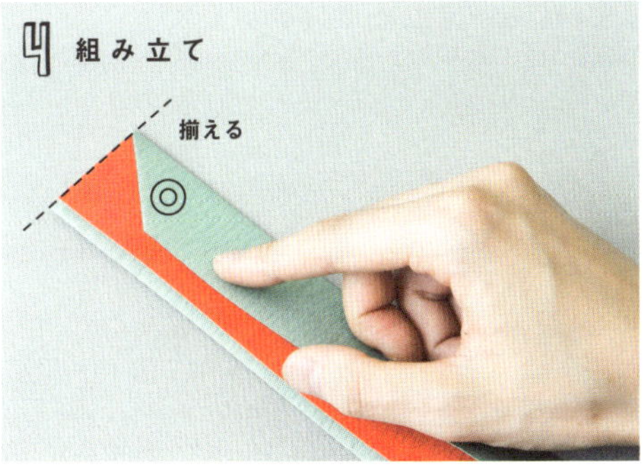

包み紙の◎部分を斜め内側に折り込みます。上部が揃うように中紙を差し込みます

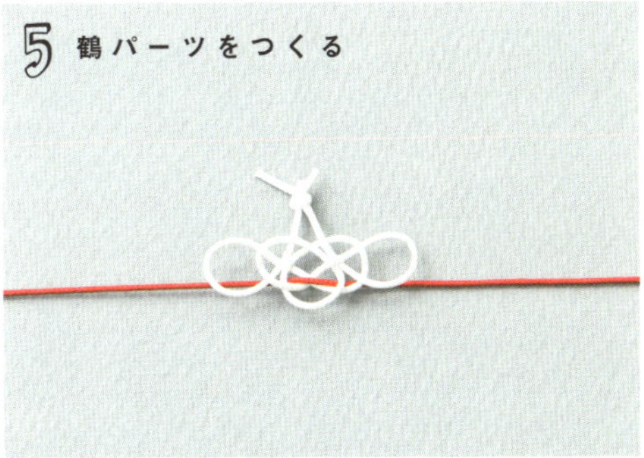

水引1本取りで鶴をつくり（P.60 参照）、帯を通します

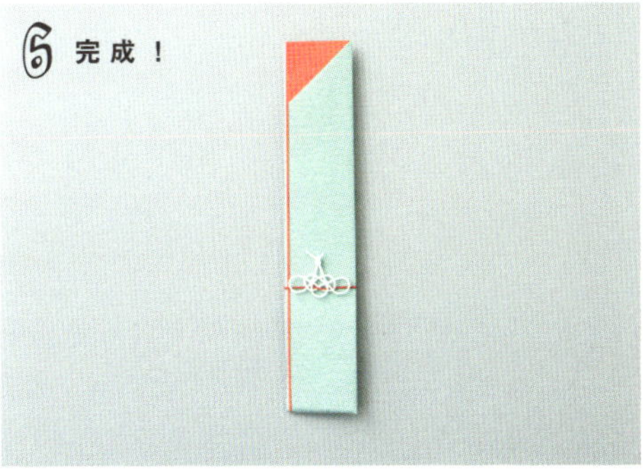

帯を裏側で結び切り（P.6 参照）にして完成です

クラシックお正月飾り

凛とした気持ちでお正月を迎えましょう。
扇や御幣、古典的なパーツや要素を取り入れたお飾りです。
クラシックな雰囲気を残しつつ、現代風に見せるには、
御幣の大きさや長さ、飾り全体のバランスがポイントです

飾りの持つ本質はそのままに デザインをアレンジする

お正月飾りのアレンジで大切なことは“らしさ”を残すこと。暮らしが多様化しても「何でもOK」というわけではありません。扇や御幣、古典的なパーツや要素を取り入れながらもシンプルに仕上げて、和室にも洋室にも木にもコンクリートにも映えるデザインに仕上げることがポイントです。

材料

45cm 水引× 40 本（赤束用）
45cm 水引× 40 本（白束用）
60cm 水引× 5 本（鶴用）
15cm 水引× 1 本（首用）
15cm 水引× 1 本（身体ポイント用）
紙 6cm × 40cm（扇用）
紙 3cm × 18cm × 2 枚（御幣用）
#24 ワイヤー
#30 ワイヤー
しめ縄直径 10cm（つくる場合は細い縄 42cm）
金シール 1 枚
好みのひも（吊り下げ用）

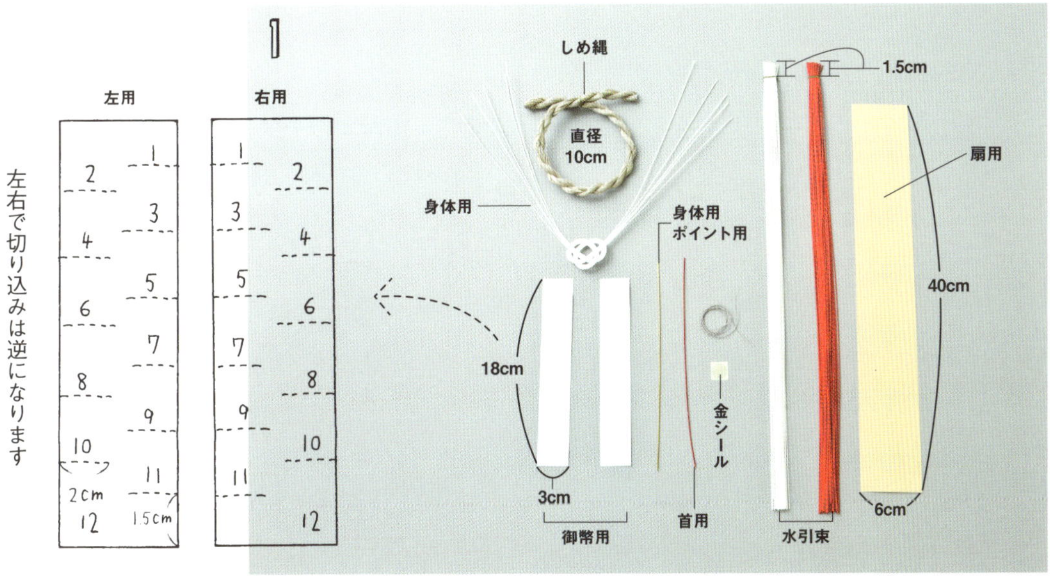

パーツを用意します。鶴用はあわじ結び（P.8 参照）に、縄はリング状に。赤と白の水引束は端から 1.5cm の所を #24 ワイヤーで束ねておきます

御幣用の紙に切り込みを入れます。三角定規を使うと作業しやすくなります

手順 2 で入れた切り込みに沿って、手前にパタパタと折り曲げます

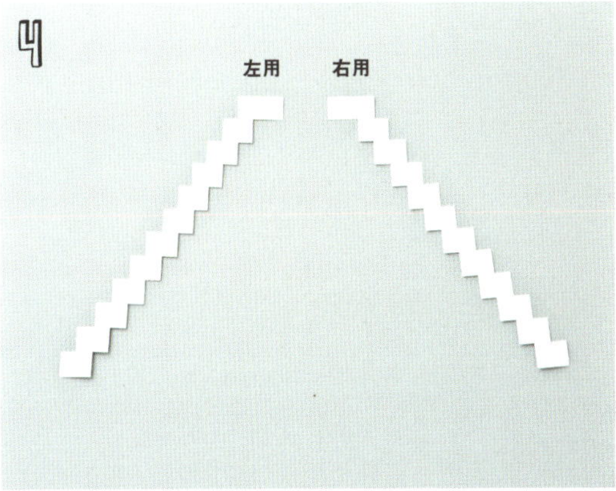

御幣は左右対象になるようにつくります

目打ちやインクの出なくなったボールペンなどで扇用のパーツに 1cm 間隔で折り線を入れます

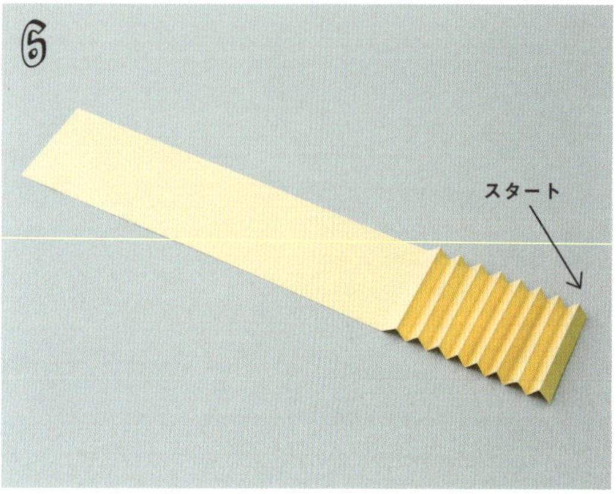

山・谷・山・谷……の順で折り、
扇の形に整えます

扇の下端から5mm程度の所に、目打ちでワイヤーを通す穴を開けます

扇の下端を#24ワイヤーで固定します。
ワイヤーは切らずに残しておきます

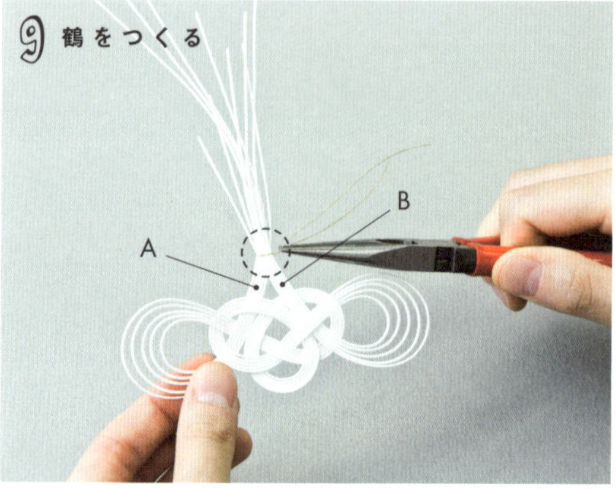

水引5本取りで鶴をつくります（P.60参照）。Bを上側に交差させ、首となる部分を#30ワイヤーで留めます

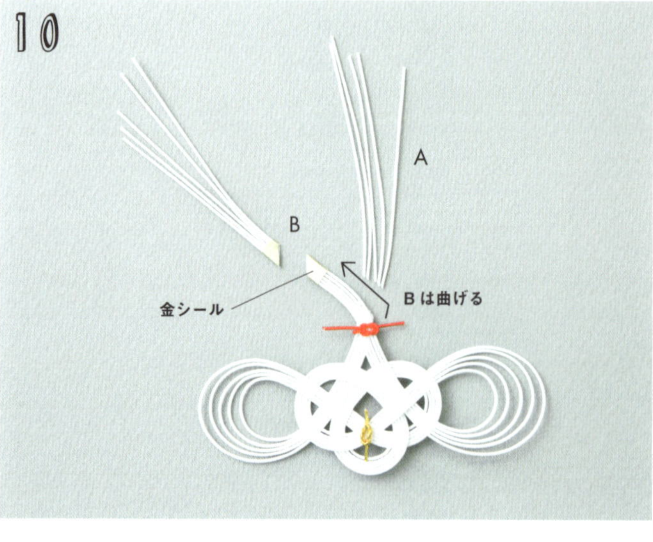

ワイヤー部分に首用の水引で結び切り（P.6参照）します。Bを結びの部分から曲げ、適当なところに金シールを張った後、斜めにカットします。Aは、表から見えないようにカットします。鶴の身体部分には、アクセントとして身体ポイント用の水引を結び切りします

白の水引束にワイヤーをかけて1回ねじった後、赤の水引束が右側にくるようにワイヤーで挟みます。#24ワイヤーを2本取りにすると安心です

赤の水引束の右側でワイヤーを固定します。水引束がぐらつかないように、しっかりと留めた後、余分なワイヤーはカットします

水引束をホットボンドでしめ縄と固定します

御幣をホットボンドで固定した後、吊ひもを★の位置に付けます

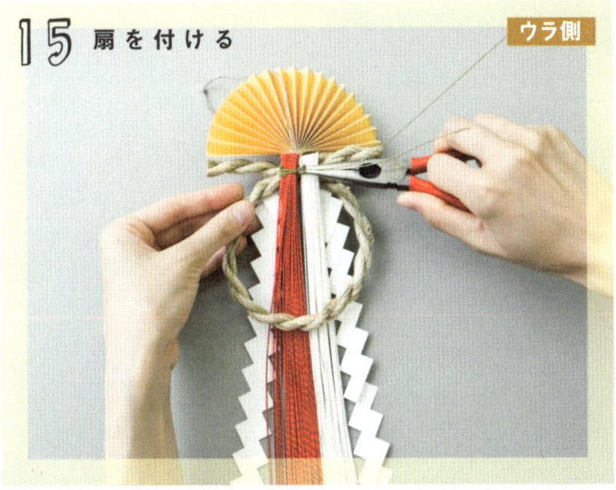

扇に取り付けたワイヤーを手順14の★のラインに通します。裏側から、扇に取り付けた#24ワイヤーを使って、水引パーツ・しめ縄・御幣・扇をまとめて固定します

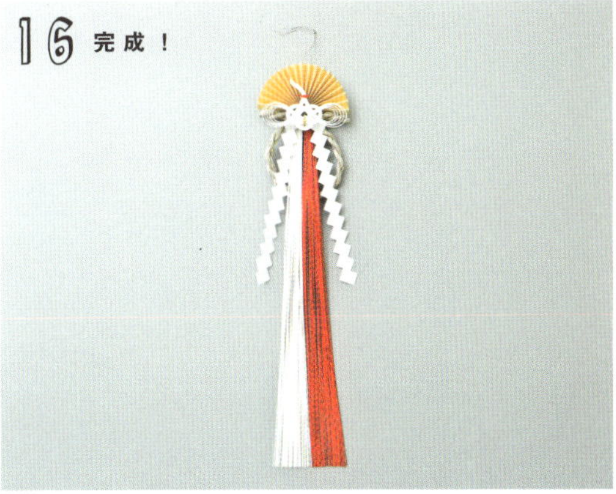

鶴をホットボンドでしめ縄に固定し、全体を左右対称になるように整えたら完成です

ハレの日のはし袋

おせちをいただく「祝い箸」には、
水引で飾った繊細で上品なはし袋が似合います。
あわじ結びや梅結び、これまで紹介した結びを使って、
ちょっと特別な、はし袋をつくりましょう

ハレの日に相応しい、紅白のあわじ結び（P.8 参照）と梅結び（P.30 参照）のはし袋。手軽にできるので、たくさんつくりたいときにもおススメです

材料	60cm 水引×１本（梅用） 包み紙 31cm × 11.5cm 中紙 21.5cm × 4cm 松葉 金シール #24 ワイヤー

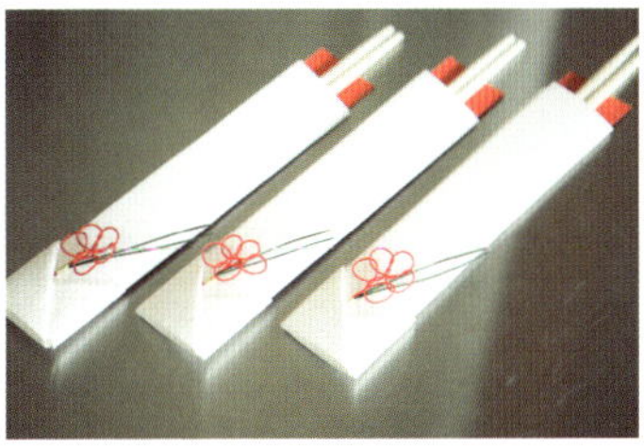

松葉のグリーンと赤い梅が目を引く上品なはし袋です。本物の松葉を使うことでより繊細で上質な印象に

one point advice

梅の水引パーツは、はし置きとしても使えます

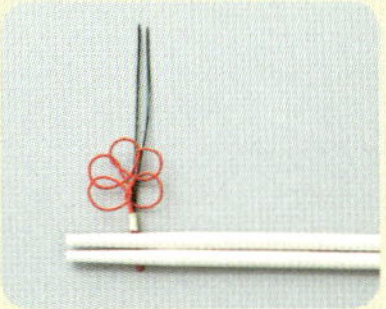

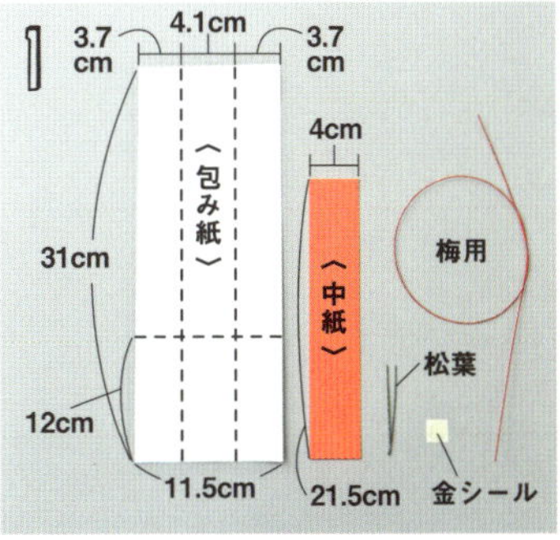

必要なパーツを揃えて、包み紙に折り線を入れます

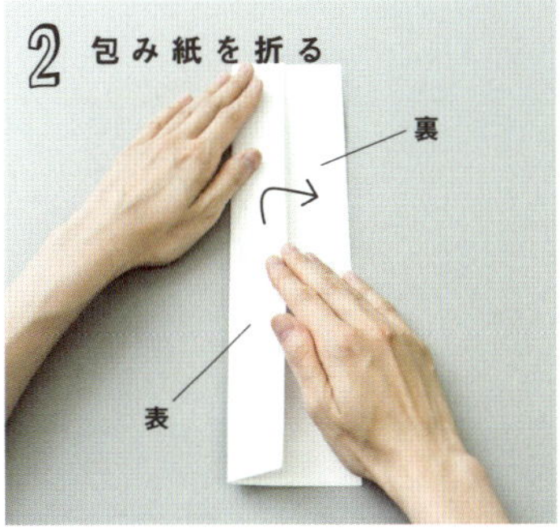

右側が上に重なるように、折り線に沿って包み紙を折ります

中紙をセットし、A を折り線に沿って手前に折ります

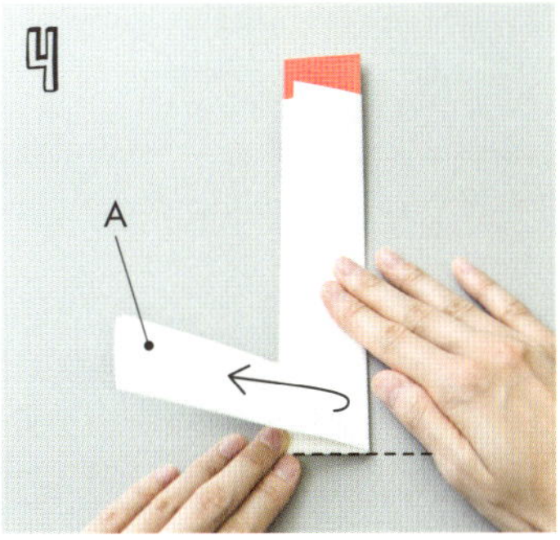

A を……のラインに沿って左側に折り倒します

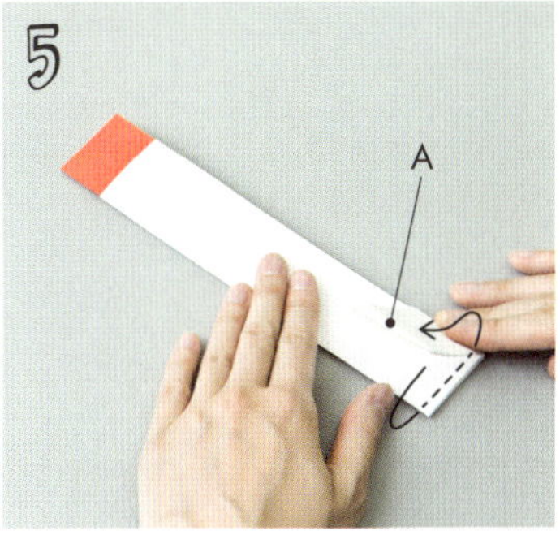

A をさらに後ろ側に折り、１周させます

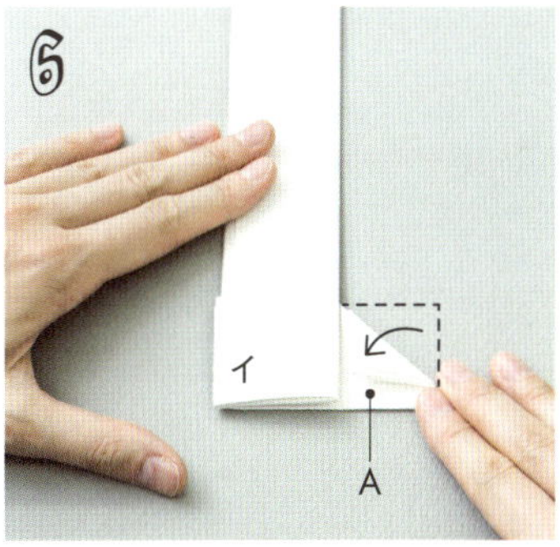

A の端を斜めに折り、イのすき間に差し込みます

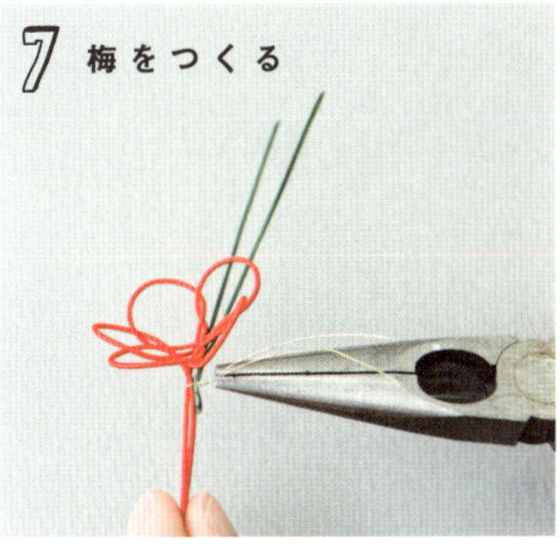

梅（P.14 参照）をつくり、松葉と一緒に #24 ワイヤーで留めます。適当な長さでワイヤーと水引はカットします

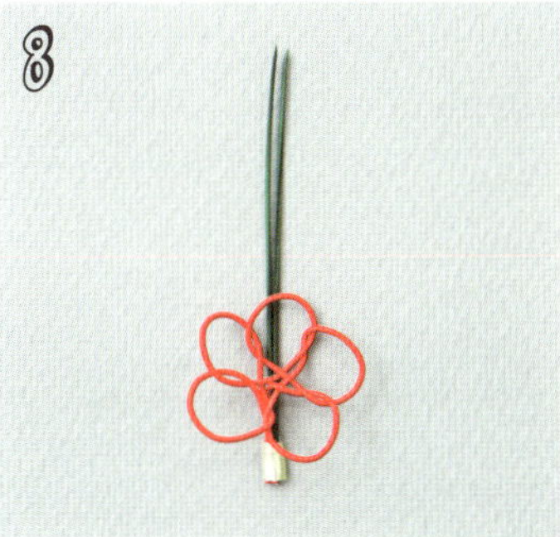

ワイヤーで固定した部分を隠すように金シールを巻きます

イ（手順６参照）のすき間に梅を差し込んで完成です

Column from NIPPON

贈り物のマナー

ちょっとしたご挨拶や手土産に１本の水引をかけて。
それだけで不思議と気持ちの距離がぐっと近くなります。
「ありがとう」の気持ちを込めて、
贈り物に自分なりの“ひと手間”を。

透明の掛け紙をくるりと巻いて水引１本で蝶結び（P.6 参照）。とても簡単な水引アレンジですが、贈り物はぐっと丁寧な印象に。引っ越しの挨拶や送別会など、数をたくさん用意しなくてはならないときこそ、１本で結んでも美しい水引の出番です！

掛け紙のかけ方

オモテ面

贈答目的に合ったデザイン・贈答品の大きさに似合ったサイズの掛け紙を選びましょう。掛け紙は、包んだときに裏側で重なる大きさのものがよいでしょう

オモテ面：祝い掛け

掛け紙が底面で重なる場合、慶事の贈答品は、裏面の向って右側に位置する方を上にして重ね合わせます

オモテ面：弔い掛け

掛け紙が底面で重なる場合、弔事の贈答品は、裏面向って左側に位置する方を上にして重ね合わせます

○ OK!

オモテ面

贈答品の横幅や厚みの関係で、側面までしか掛け紙が届かない場合も特に問題はありません

○ OK!

ウラ面

掛け紙が裏面で重ならない場合も特に問題はありません

× NG!

オモテ面

贈答品の表面でとどまって側面まで届かない大きさの掛け紙はマナー違反です。箱に合ったサイズの掛け紙を使いましょう

贈答品の「外のし」と「内のし」

包装紙で包んだ後にかけ紙を掛けることを「外のし」、品物に直接掛け紙をかけてから包装することを「内のし」といいます。表立てしない気持ちの配慮や、運搬時の汚れや破損を防ぐために、近年では掛け紙をかけてから包装する「内のし」が普及しています。どちらが正式かには諸説ありますが、贈答品を直接持参する場合は外のしがよいでしょう

ふろしきの包み方（慶事の場合）

❶

❷

❸

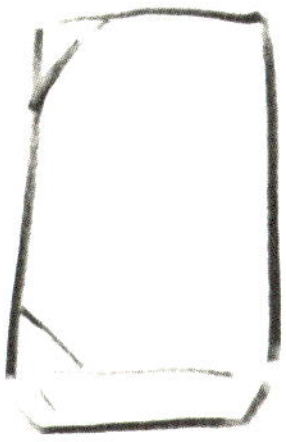

風呂敷の中央に贈答品を置き、1～4の手順で包みます。風呂敷の余った部分は、箱の下に折り込みます。弔事の場合は包み方が逆になります

お役立ちグッズ＆ショップリスト

水引アレンジにおススメの水引と、
必要な材料や道具が手に入るショップを紹介します

GOODS

使い勝手の良い60cm水引のアソート

Traditional
SOM-012

Pure metal
SOM-013

Lacquer
SOM-014

Variation yarn
SOM-015

Variation pop
SOM-016

Sherbet
SOM-005

Light platinum
SOM-017

Deep platinum
SOM-018

Deep japan
SOM-019

Shiny color
SOM-020

美しい発色と豊富なカラーバリエーションで、つくる楽しみを与えてくれる水引のセット。使い勝手のいい60cmタイプ。「600mm MIZUHIKI」7色セット各10本入り（1,200円＋税）問合せ先 さん・おいけ　TEL.03-5807-1647

さん・おいけ オンラインストア
http://www.sun-oike.co.jp/webshop/

「600mm MIZUHIKI」のほか、染色したものや純銀・漆の雰囲気を持ったものなど、多彩な表情を持つ水引を常時500種類以上取り揃えているウェブショップ（各色90cm、販売は100本単位）

SHOP

水引＆パーツが買えるお店

アークオアシスデザイン 姫路店 ■◆●✦	兵庫県姫路市広畑区夢前町 3-1-7 ホームセンタームサシ 2 階　TEL.079-238-6346
アークオアシスデザイン 京都八幡店 ■◆●✦	京都府八幡市欽明台北 3-1 ホームセンタームサシ 2 階　TEL.075-982-2037
アークオアシスデザイン 新潟店 ■◆●✦	新潟県新潟市中央区姥ヶ山 45-1　スーパーセンタームサシ 2 階　TEL.025-287-2311
アークオアシスデザイン 仙台泉店 ■◆●✦	宮城県仙台市泉区大沢 3-9-1 ホームセンタームサシ 2 階　TEL.022-771-2080
アークオアシスデザイン 金沢店 ■◆●✦	石川県金沢市高柳町 1-1-1　TEL.076-251-1634
銀座・伊東屋 ■	東京都中央区銀座 2-7-15　TEL.03-3561-8311
東急ハンズ 新宿店 ■●✦	東京都渋谷区千駄ヶ谷 5-24-2 タイムズスクエアビル 2～8 階　TEL.03-5361-3111
東京堂 本店 ■◆●✦	東京都新宿区四谷 2-13　TEL.03-3359-8686
東京堂 アーティス ■◆●✦	東京都新宿区三栄町 23　TEL.03-3359-8686
ユザワヤ 蒲田店 ■◆●✦	東京都大田区西蒲田 8-23-5　TEL.03-3734-4141
ユザワヤ 吉祥寺店 ■◆●✦	東京都武蔵野市吉祥寺南町 1-7-1 丸井吉祥寺店 7～8 階　TEL.0422-79-4141
ユザワヤ 神戸店 ■◆●✦	兵庫県神戸市中央区三宮町 1-3-26　TEL.078-393-4141
横浜ディスプレイミュージアム 横浜本店 ■◆●	神奈川県横浜市神奈川区大野町 1-8 アルテ横浜　TEL.045-441-3933

■水引　◆プリザーブドフラワー　●季節小物　✦アクセサリーパーツ

※通年の取扱いがない商品もあります。詳しくは各店舗までお問い合わせください

結びインデックス

本書で紹介している水引アレンジのなかから、
基本の結びだけをまとめました

あわじ結び

P.8

あわじ結び（2組）

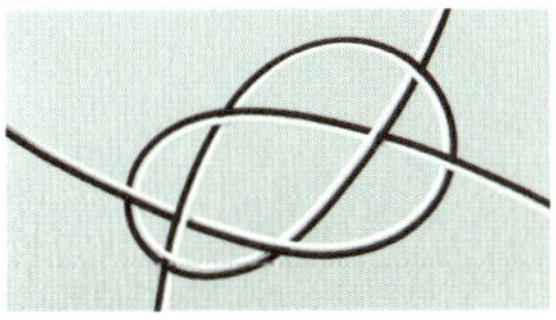

P.9

あわじ結び（連続）

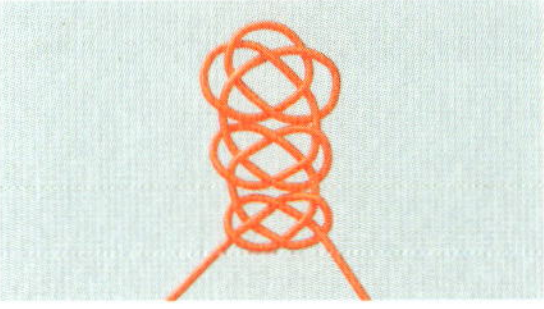

P.50～51（手順5～6）

梅結び（桜）

P.14～15（手順1～7）

亀の子結び

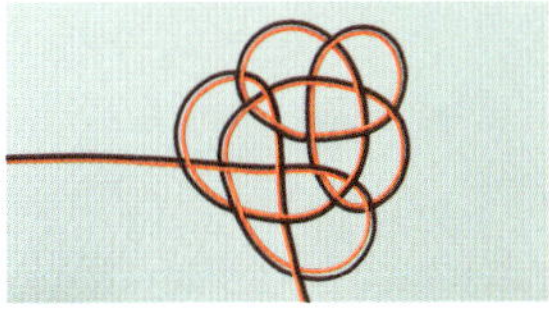

P.58～59（手順1～6）

竹結び

P.46～47（手順1～10）

蝶結び

P.6

鶴

P.60

菜の花結び

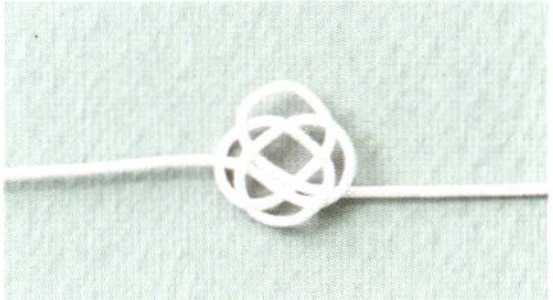

P.9

ひとつ結び

P.9

平梅結び

P.47（手順1～4）

平梅結び（椿）

P.23（手順2～7）

松結び

P.45（手順1～6）

丸結び

P.32～33（手順1～5）

結び切り

P.6

水引リング

P.36～37（手順1～5）

著者

長浦ちえ

（Chie Nagaura）

福岡県生まれ。武蔵野美術大学卒業。2004 ～ 2005 年にかけてパリに滞在。水引を使ったアートワークの制作活動を展開する。帰国後、MARK'S のご祝儀袋『フジ』のデザインを手掛けるなど、水引デザイナーとして活動。2013 年より自身のブランド【TIER（タイヤー）】を立ち上げる。伝統にロックやポップのスパイスを加えた、オリジナルなデザインにも定評がある。現在、プロダクトデザインのほか、企業とのコラボレーション商品やイベントのアートディレクションなど幅広く活躍中。著書に『手軽につくれる水引アレンジBOOK2』（エクスナレッジ刊）。
http://tiers.jp/

手軽につくれる 水引アレンジ BOOK

かわいいぽち袋・お正月飾り・ご祝儀袋・アクセサリー

2013 年 9 月 27 日　初版第 1 刷発行
2018 年 7 月 13 日　初版第 7 刷発行

著者　長浦ちえ

発行者　澤井聖一

発行所　株式会社エクスナレッジ

http://www.xknowledge.co.jp

〒 106-0032　東京都港区六本木 7-2-26

問合せ　編集 Tel：03-3403-6796　Fax：03-3403-0582

info@xknowledge.co.jp

販売 Fax：03-3403-1829